CIP-gegevens Koninklijke Bibliotheek, Den Haag

Kan Hemmink, Henriëtte

4-Ever Dance – Dans met mij/ Henriëtte Kan Hemmink
Internet: www.eekhoorn.com
Redactie: Brigitte Akster
Eindredactie: Cindy Klompenhouwer
Vormgeving: Met DT, Zwijndrecht

ISBN 978-90-454-1410-2/ NUR 283

4 Ever Dance

Dans met mij!

Henriëtte Kan Hemmink

Bedankt, Aniek Achterkamp en Sarien Westenberg!

Jullie hebben mij heel veel verteld over het dansen.
Maar vooral veel laten zien.
Wat ik heel bijzonder vind, is jullie passie voor het dansen!
De titel van de serie slaat dan ook helemaal op jullie.

4Ever Dance!

1

Advertentie

De septemberzon schijnt door de hoge ramen van de kantine naar binnen en werpt een brede lichtbaan over de linoleumvloer.
Sara zit alleen aan een tafel.
Ellebogen op de rand, hoofd ondersteund door haar handen. Haar ogen zijn gericht op de kleine advertentie in de krant die door een onbekende met een rode pen omcirkeld is.
Achter haar klinkt geroezemoes.
Opwinding raast door haar lijf.
Zou ze een kans maken?
Ze is pas dertien.
Opnieuw leest ze de klein gedrukte tekst en werpt een vluchtig blik in het rond.
Niemand hoeft het te weten.
Als ze er zeker van is dat er niet op haar gelet wordt, scheurt ze de pagina in zijn geheel uit de krant.
Twee meisjes lopen in haar richting.
Het zweet breekt haar uit.
Hebben ze het gezien?
Met rustige bewegingen vouwt ze het papier een paar keer dubbel.
De meisjes lopen door, zonder aandacht aan haar te schenken.
Haastig stopt ze het in haar tas.

2

Jij ook

Met een dreun valt een zware tas vlak voor Sara op tafel. Geschrokken tilt ze haar hoofd op.
'Droomde je over een glansrijke danscarrière?'
'Wie niet?'
Stefan schuift zijn tas opzij en gaat tegenover haar aan de tafel zitten.
Een paar seconden is het stil, op wat kantinegeroezemoes na.
Stefan wrijft met twee handen over zijn bovenbenen. 'Ik heb spierpijn.'
'Masseuse nodig?'
'Zo erg is het nou ook weer niet,' lacht hij. 'Niet iedereen mag mij masseren.'
'Gelijk heb je,' antwoordt Sara fel. 'Ik ben ook kieskeurig en zou het niet bij iedereen doen.'
'Is Chrissy naar huis?'
'Naar de danszaal. Haar tas en mobieltje liggen er nog.'
Stefan draait zijn bovenlichaam een kwartslag en kijkt naar de deur.
'Is het belangrijk?'
'Wat?'
'Moet je haar spreken?'
'Het was zomaar een vraag.'
Hij liegt.
Sara trekt het elastiek uit haar paardenstaart.
'Woont ze in Roosburch?'
'Ja. Jij ook?'
Stefan knikt, terwijl hij vanuit zijn ooghoek de ingang van

de kantine in de gaten houdt. 'Weet jij haar adres?'
'Buitenlaan! Huisnummer onbekend.'
Hij neemt Sara afwachtend op. 'Heb jij haar mobiele nummer.'
'Dat mag je zelf vragen.' Sara staat op, stopt het elastiekje in jaar broekzak en pakt de tas van de grond. De dubbelgevouwen krantenpagina steekt een paar centimeter uit haar tas. Haastig propt ze die naar beneden en ritst haar tas dicht.
'Ga je weg?'
'Ik heb wel wat beters te doen.' Ze zwaait de tas over haar schouder en loopt met opgeven hoofd naar de deur.
Beduusd blijft hij een paar tellen zitten, waarna hij achter haar aan loopt. 'Heb ik iets verkeerds gezegd?'
'Nee, hoor.' Sara heeft geen zin om hem bezig te houden, terwijl hij op Chrissy wacht.
Naast elkaar lopen ze door de brede gang, die het oude deel van de dansacademie met het moderne gebouw verbindt.
Iemand zwaait vanuit de verte. Het is Chrissy.
'Waar bleef je?' wil Sara weten.
'Ik heb me suf gezocht, terwijl mijn telefoon in mijn tas bleek te zitten. Ga je weg? We zouden toch chocolademelk drinken?'
Sara haalt haar schouders weifelend op. 'Het is al laat.'
'Afspraak is afspraak.' Chrissy haalt kleingeld uit haar jaszak en telt de munten in haar handpalm. 'Ik trakteer.'
Sara stoort zich aan Stefan.
'Wil je choco?' vraagt Chrissy aan Stefan.
Hij knikt. 'Maar ik betaal zelf.'
'Ik trakteer.'
Het drietal loopt terug naar de kantine. Chrissy bestelt drie bekers chocolademelk.

Naast haar staan twee dansers van een jaar of achttien; studenten van de officiële dansopleiding.
Na het afronden van de vooropleiding hoopt Chrissy definitief op de dansacademie te worden toegelaten.
Nog vijf jaar voor de boeg, voordat ze weet of dansen haar toekomst gaat worden.
Vijf jaar zwoegen.
Vijf jaar lang onzekerheid. Het staat namelijk niet vast of ze deze vooropleiding mag blijven volgen.
In het voorjaar moest ze auditie doen. Een spannende tijd. Slapen lukte nauwelijks. 's Nachts sloop ze naar beneden om met een koptelefoon op haar hoofd te dansen. Overdag bestudeerde ze allerlei dansstijlen op YouTube filmpjes. De laatste nacht voor de auditie joeg ze haar ouders en broer de stuipen op het lijf toen ze uitgleed na een mislukte sprong. Haar voet raakte een staande schemerlamp, die met een harde klap op de grond terecht kwam. Binnen dertig seconden stormde haar vader in boxershort met een paraplu dreigend boven het hoofd de zitkamer binnen. Achter hem doemden Robin en haar moeder op.
Ze barstten in lachen uit toen ze Chrissy in pyjama met balletschoentjes naast de omgevallen lamp aantroffen.
'Generale repetitie?' vroeg Robin.
'Hoe raad je het.'
'Een slechte generale repetitie geeft de garantie dat de uitvoering, in jouw geval de auditie, goed zal gaan.'
'Dat maak je mij niet wijs. Het zal wel andersom zijn.'
Robin trok een brede grijns.
'Drie euro vijfenzeventig,' zegt de kantinemedewerkster.
Chrissy schrikt op uit haar gedachten.
Drie euro vijfenzeventig!
Dat is bagger!

Ze heeft onmiddellijk spijt van haar gulle bui en legt met tegenzin het geld op de bar.
Dag zakgeld!
Omdat Stefan interesse voor haar toont, geeft ze zonder nadenken haar moeizaam bij elkaar gespaarde zakgeld uit aan drie grote koppen warme chocolademelk. Wat bezielt haar? Ze had zich voorgenomen om te sparen.
Langzaam loopt ze met het dienblad naar het tafeltje toe.
Chrissy, Sara en Stefan zijn samen met tien andere kinderen na het doen van audities toegelaten op de speciale vooropleiding van Dans Academie Roosburch. In Nederland bestaan weinig van deze scholen die speciaal bedoeld zijn voor jonge dansers met talent. Op de dansacademie volgen ze de gewone lessen van het voortgezet onderwijs en doen daarin examen. Vakken zoals gymnastiek, muziek, handvaardigheid vervallen. Daarvoor in de plaats krijgen ze van verschillende docenten dansles in allerlei stijlen. Van klassiek ballet tot streetdance.
De kinderen van klas 1D vinden het geweldig op de academie! Vanaf de eerste les werd benadrukt dat er hoge eisen aan de leerlingen gesteld worden. Een paar keer per jaar zullen er evaluatiemomenten zijn. De evaluaties bepalen of je op de dansacademie mag blijven. Ze kijken dan naar hoe je het tot nu toe hebt gedaan op school. Niet alleen de dansprestaties zijn belangrijk, ook de theorievakken tellen mee. Het betekent dat er dag in dag uit honderd procent inzet van iedereen verlangd wordt. Doe je dat niet, dan loop je al snel het risico dat je overgeplaatst wordt naar een gewone middelbare school.
Alle dertien kinderen van deze brugklas zijn ontzettend gemotiveerd om hun droom waar te maken.

Chrissy heeft een zelfgemaakte poster op haar kamer hangen waarop met grote kleurige letters staat:

4EVER DANCE

Voor altijd dansen.
Dat is wat ze wil.
Sara's gezicht gaat schuil achter het steile haar dat ze opzettelijk langs haar gezicht laat vallen. Ze schuift haar stoel naar achteren en klemt de warme beker chocolademelk tussen haar handen. Ze voelt zich het vijfde wiel aan de wagen en dat mogen ze weten.
Stefan doet alsof hij niets merkt en pakt een schrijfblokje uit zijn tas. Hij kijkt Sara vragend aan. 'Wat is jouw nummer?'
'Mijn nummer,' herhaalt ze licht spottend. 'Alsof dat interessant is.'
'Ik wil een klassenlijst maken met alle mobiele nummers en e-mailadressen.'
'Goed idee.'
Met samengeknepen ogen kijkt Stefan Sara aan. Meent ze dat? 'Dat moet toch iemand doen.'
'Doorzichtig, hoor.'
'Geef je nummer nou maar,' mompelt Chrissy.
Stefan kauwt op het uiteinde van zijn pen. 'Jij eerst?'
Chrissy knikt.
Nadat hij haar gegevens genoteerd heeft, schuift hij het schrijfblok met de pen over de tafel naar Sara.
'Omdat je zo aandringt,' grinnikt Sara en kondigt aan niet zo lang te blijven. 'Morgen een repetitie van Engels.'
'Ik heb de hoofdstukken al doorgelezen,' vertelt Chrissy.
'Woowhoow. Goed van je!' complimenteert Sara.
Chrissy doet haar best om het gesprek op gang te houden,

maar slaagt daar niet echt in.
Aan alles is te merken dat Sara er behoorlijk de smoor in heeft.
Stefan pakt de krant die op tafel ligt en ziet dat er een pagina is uitgescheurd. 'Er stond zeker belangrijk nieuws in.'
'Of goedkope vakantiebestemmingen,' oppert Sara.
Een minuut later zet Sara haar lege kom op het dienblad en staat op.
'Fiets je mee?'
'Nee,' antwoordt Chrissy resoluut.
'Nee?' herhaalt Sara verbaasd.
'Ik blijf nog even.'
Ze kiest voor Stefan, flitst het door Sara's hoofd. Dat had ze kunnen weten.
'Je hoeft niet om mij te blijven,' mompelt Stefan.
Sara grist haar tas van de grond. 'Tot morgen.'
'Chagrijn,' zegt Chrissy.
Het wordt opeens stil tussen hen.
Chrissy beseft dat ze alleen met Stefan aan een tafel in de kantine zit. Dat is wel even wat anders dan wanneer ze met de hele groep bij elkaar zijn.
Zenuwen gieren door haar keel.
Traag lepelt ze het laatste restje chocolademelk uit haar beker.
'Het is om mij,' zegt Stefan. 'Daarom doet ze zo.'
'Whatever.'
Stilte.
'Jij danst goed.'
'Jij ook,' stamelt Chrissy.
'Jij beter.'
Als ze elkaar aankijken, schieten ze in de lach.

3

Baaldag

'Jij hebt een eigen stijl,' gaat Stefan verder.
'Valt wel mee,' lacht ze verlegen. 'Naast Sara val ik in het niet. Zij heeft écht talent.'
Stefan denkt na. 'Sara's techniek is niet zo goed. Daar zal ze aan moeten werken.'
Chrissy staart hem verwonderd aan en vertelt dat Sara een paar dagen geleden precies dezelfde opmerking uit de mond van Barbel te horen kreeg.
'Sara danst wel energiek. Ze durft zich helemaal te geven,' merkt Stefan op.
'Ze knalt!'
'Dat gaat ons ook lukken.'
'Ik ben vaak onzeker over hoe ik dans.'
'Daar heeft iedereen last van.'
'Iedereen?' herhaalt Chrissy peinzend. Ze vraagt zich af of hij gelijk heeft. Sommige dansers hebben controle over hun hele lichaam. De bewegingen gaan vloeiend, de dans past perfect bij de muziek en de uitstraling is een combinatie van concentratie en schoonheid. Een moment van gelukzaligheid noemt ze dat.
Chrissy bestudeert vaak filmpjes waarop dansers te zien zijn. Het gaat niet alleen om de bewegingen en choreografie. De uitstraling is ook belangrijk. Iemand die sierlijk is en een natuurlijke lenigheid heeft, danst zichzelf de zevende hemel in.
Langzaam verdwijnt de vreemde spanning tussen hen en praten ze over dat wat voor hen beiden zo belangrijk is; dansen.

'Als peuter danste ik door het hele huis. Voor mij was dat heel gewoon. Voetballen of zwemmen vond ik maar niks. Toen ik wat ouder was, logeerde ik bij een nichtje. Ze ging naar balletles en ik mocht mee. Dat vond ik helemaal te gek. Thuis deed ik voor wat ik geleerd had en vroeg of ik ook op ballet mocht. Het mocht, maar mijn ouders waren ook erg huiverig. Zij gingen er vanuit dat er weinig of geen jongens op ballet zouden zitten. Ik vond dat geen probleem. Het ging om het dansen, niet om de meisjes. Maar dat bedoelden ze niet. Ze waren bang dat ik gepest zou worden. Meisjes op ballet is tenslotte heel normaal, een jongen niet.'
'En, toen? Ben je op ballet gegaan?'
'Nee.'
'Spijt?'
'Ja.'
'Het kan nog.'
'Mwah.' Stefan haalt zijn schouders op. 'Ik ben later bij een sportschool op les gegaan.'
'Wilde je bodybuilder worden?'
Stefan rolt de mouwen van zijn trui op. Hij balt zijn handen tot vuisten en spant de spieren van zijn bovenarmen. 'Nou, wat vind je er van?'
'Ik durf niet te knijpen,' grinnikt ze.
'Dacht ik al.' Hij trekt de mouwen weer naar beneden. 'Die spierballen stellen niets voor.'
Hoe gek je doet om met elkaar in gesprek te blijven, denkt Chrissy.
Het is nog gekker dat ze er zelf aan meedoet.
Verliefd is ze niet.
Nog niet!
Toch?

Het voelt vreemd, samen met Stefan.
Zou ze dat gevoel ook hebben als Rachid of Coen bij haar aan tafel zouden zitten?
'Eerst zat ik op streetdance,' gaat Stefan verder. 'Dat was een leuke groep jongens en meisjes. De dansdocent had zelf op een dansacademie gezeten en begon over mijn talent. Sorry, dat ik dat zeg,' voegt hij er lachend aan toe. 'Hij heeft later een hiphop groep gevormd voor jongens en meisjes. Dus ik bleef dansen. Op de academie draait alles om dansen. Hier voel ik me thuis.'
Stefan vertelt openhartig over zijn jonge jaren als danser.
Spijt van haar gulle bui heeft ze niet meer. Chrissy hangt aan zijn lippen. Dit gesprek met Stefan in de kantine is meer dan drie euro vijfenzeventig waard. Stiekem hoopt ze dat hij haar een volgende keer zal uitnodigen.
Zijn ouders hebben nooit moeilijk over zijn danspassie gedaan. De broer van zijn vader wel toen hij hoorde dat Stefan naar de dansacademie ging. Je kon beter een echt vak leren.
Chrissy maakt een afkeurend gebaar. 'Ik weet precies wat hij gezegd heeft. Wat moet die jongen bij ballet? Dansen in een strakke maillot is niks voor hem. Koop goede voetbalschoenen voor hem en hij is binnen een week genezen.'
Ze lachen vluchtig naar elkaar.
'Mijn oom stamt uit de steentijd en heeft nog nooit van hiphop gehoord.' Opeens schuift hij zijn stoel naar achteren.
Chrissy blijft roerloos zitten.
Gaat hij nog iets te drinken halen om dit moment met haar te rekken?
Stefan kijkt naar de klok die boven de deur hangt. 'Ik ga naar huis.'
Ze probeert haar verbazing te verbergen.

Waarom doet hij zo kortaf?
Wat is er verkeerd gegaan?
Wat moet ze doen om deze ontmoeting anders te laten eindigen?
Wil ze dat wel?
'Ik weet niet wat jij doet...?'
'Ik ga ook naar huis,' mompelt ze.
Even lijkt het erop dat Stefan iets zal zeggen om zijn plotselinge vertrek te verklaren, maar hij perst zijn lippen op elkaar.
Chrissy trekt haar jas aan.
Stefan wacht.
Aan zijn ogen ziet Chrissy dat hij zich opgejaagd voelt. Ze begrijpt er niets van.
'Woon je in Roosburch?'
Hij knikt.
'Waar?'
Hij noemt een straatnaam, maar die zegt Chrissy niets.
Samen gaan ze naar de uitgang.
Hij loopt steeds sneller.
Zijn fiets staat aan de andere kant van de stalling.
Chrissy verbreekt de stilte door te vragen of hij thuis vaak danst.
'Natuurlijk. Elke dag.'
'Ik ook.'
Chrissy buigt over haar fiets en morrelt met het sleuteltje in haar slot. Als ze opkijkt, zit hij al op zijn fiets.
'Tot morgen.'
'Doei.'
'Kneus,' fluistert ze boos tegen zichzelf als hij richting de poort fietst.
Zonde van haar zakgeld.

Wanneer ze een halve minuut later de oude binnenplaats verlaat, staat Stefan haar op te wachten.
'Sorry! Ik moet vier uur ergens zijn,' verontschuldigt hij zich. 'Dat was ik vergeten. Daarom heb ik haast.'
'Zal wel,' antwoordt ze snibbig. Zonder hem nog een blik waardig te keuren, fietst ze hem voorbij.
Stefan kijkt haar tandenknarsend na. Hij weet dat hij geen bonuspunten heeft verdiend.

Dans Academie Roosburch ligt op een prachtige plek tegen het stadscentrum aan. Roosburch is een middelgrote stad. Het gebouw waarin de academie gevestigd is, is op eeuwenoude fundamenten van een oud kasteel gebouwd. De voorzijde is groot en modern. Aan de achterzijde is een groot deel van het gerestaureerde kasteel zichtbaar. Moderne elementen vallen prachtig samen met de restanten van de oorspronkelijke bouwstijl.
De grote danszaal is op de eerste verdieping van het kasteel te vinden. Een prachtige zaal die door de hoge ramen volstroomt met daglicht. Achter het gebouw is een deel van de slotgracht intact gebleven. Via een open verbinding naar een riviertje, kun je met een kano of roeiboot leuke tochtjes maken.
Het park, met de oude bomen rondom de academie, is prachtig aangelegd waardoor je het gevoel hebt ver weg van de bewoonde wereld te zijn.
Chrissy baalt.
Sinds ze op de dansacademie zit, wat haar grote droom is, lopen de dingen anders.
De ruzie met Marjolein, bijvoorbeeld. Ze kennen elkaar van de basisschool. In groep acht hebben ze een fantastisch jaar gehad. Marjolein zit nu op de Rijks Scholen Gemeenschap

(RSG) in Roosburch. Onverwachts kregen ze ruzie om een jongen. Marjolein was verliefd op Fedor, maar slaagde er niet in om de aandacht van hem te trekken. Chrissy's hulp werd ingeschakeld, maar dat pakte verkeerd uit. Marjolein werd razend toen ze Chrissy en Fedor samen in het park zag. Sinds die tijd is het contact tussen de vriendinnen alleen maar verslechterd.
Dat is nog niet alles. De manier waarop Sara reageert, vindt Chrissy ook niet leuk. Sara probeert haar te claimen. Vanmiddag liet ze overduidelijk merken dat ze het niet leuk vond dat Stefan erbij was komen zitten. Vervolgens was ze zelf ook nog zo stom om te denken dat Stefan verliefd op haar is.
Het begon leuk, totdat hij er met veel haast vandoor ging.
Dat doe je toch niet als je verliefd bent?
Wat haalt ze zich allemaal in haar hoofd?
Chrissy haalt diep adem.
Is zij verliefd?!
Daar heeft ze dus geen zin in.
Het geeft alleen maar verwarring.
Ze wil dansen.
'Hé!' brult iemand over straat.
Het is Robin.
'Baaldag?' vraagt hij wanneer hij naast zijn zus fietst.
'Ja.'
'Van het dansen?'
'Van de mensen om me heen.'
'Ik ga al!' Robin spurt een paar meter voor haar uit.
'Stel je niet aan.'
Robin wacht totdat Chrissy weer naast hem fietst. 'Kan ik iets voor je doen?'
'Je mond houden.'

'Is dat een officieel verzoek?'
'Ja.'
'Jammer. Ik moest nog iets melden.'
'Van wie.'
'Klasgenoot.'
'Vertel maar.'
'Zeker weten?'
'Toen nou.'
'Hij zei dat je op zoek moest gaan naar de krant van gisteren.'
'Waarom?'
'Weet ik niet,' Robin trekt een beledigd gezicht.
'Je weet helemaal niets?!'
'Hij zei alleen dat je naar advertenties moest kijken.'
'Boeiend!'
'Hij zei het niet zomaar.'
'Ik wil geen krantenwijk.'
'Wie zegt dat het over een krantenwijk gaat?'

4

Eikel?

Chrissy staart door het slaapkamerraam naar buiten.
Ze denkt aan Marjolein en hoe snel een vriendschap voorbij kan zijn.
Zal ze Marjolein toch maar bellen? Het liefst wil ze dat de ruzie wordt uitgepraat.
Een paar dagen geleden stuurde Marjolein een sms'je. Chrissy heeft niet gereageerd.
Waarom zou ze?

Hi Chris!
Met Fedor wordt het niets.
Kan ik je bellen?
Vanmiddag afspreken?
Bijpraten?
Laat maar iets van je horen.
Groetjes, Leintje.

Nu het met Fedor niets wordt, heeft Marjolein weer tijd en aandacht voor haar.
Chrissy vindt het niet kunnen. Zo ga je niet met anderen om.
Marjolein denkt misschien dat wanneer Chrissy belt, alles weer koek en ei is.
Nee, dus!
Hoe kan ze Marjolein vertrouwen?
Wie zegt haar dat ze ditzelfde kunstje niet nog eens flikt wanneer een andere jongen in beeld komt?
In haar klas op de dansacademie zitten leuke mensen.

Daar kan ze het vast goed mee vinden. Na een tijdje mist ze Marjolein misschien niet meer.
Sara doet er alles aan om vriendschap met haar te sluiten. Teveel, wat Chrissy betreft. Ze gedroeg zich lullig toen Stefan mee ging naar de kantine. Meestal kunnen ze het wel goed met elkaar vinden en hebben ze lol. Maar wanneer Chrissy ook maar even het gevoel heeft dat Sara zich opdringt, haakt ze af.
Jaloezie?
Chrissy slaakt een zucht; ze belt Marjolein niet.
'Niet meer aan hem denken.'
Chrissy gooit haar paarse spijkerbroek over een stoel en trekt een baggy dansbroek aan. Hij zit lekker en staat stoer. Ze doet haar gympen uit en gaat languit op bed liggen om aan de ontmoeting met Stefan te denken.
Wat ging er mis?
Waarom ging Stefan onverwachts weg?
Hij had blijkbaar spijt, want bij de poort wachtte hij haar op om uit te leggen waarom hij zo'n haast had.
Het moet wel een belangrijke afspraak geweest zijn, want eerst had hij zin om nog even met haar in de kantine te zitten. Dat weet ze zeker. Misschien was ze wat onaardig tegen hem geweest, hij had tenslotte sorry gezegd.
Dan zwaait Chrissy haar benen tegelijk van bed en kijkt in de grote spiegel aan de muur.
Stefans voorkeur gaat naar hiphop uit. Zelf is ze er niet zo goed in. Een beetje oefenen kan dus geen kwaad.
Robin zit beneden tv te kijken, dus zal ze op haar kamer moeten oefenen. Ze wil pasjes en sprongen afzonderlijk oefenen.
'Let's dance!'
Ze luistert eerst naar muziek op haar computer. Ze kiest

een nummer uit waarop ze wil dansen.
Lang nadenken doet ze niet. Dansen is vooral doen!
Ze schuift haar bureaustoel opzij, zodat ze meer ruimte heeft om sprongen te oefenen.
Na de warming up, oefent ze verschillende zweefmomenten in een sprong. Met gestrekte benen, een been of twee benen gebogen.
Daarna strekt ze bij de sprong haar bovenlijf uit, buigt hem zijwaarts, voorover en achterover.
De ruimte in haar kamer is beperkt, toch lukt het om onderdelen van haar sprong te oefenen.
Dezelfde sprongen doet ze opnieuw. Daarna richt ze haar aandacht op de stand van haar armen en hoofd. Er zijn zoveel variaties te bedenken.
Muziek en gevoel bepalen waar je voor kiest.
Als ze een hoge draai wil maken, gaat het bijna mis. Haar voet gaat rakelings langs de stalen poot van haar bureau.
Als ze ergens nachtmerries van kan krijgen, dan is het wel van de angst een blessure op te lopen. Want dan kun je het dansen op je buik schrijven.
Zweefmomenten hebben lange of korte fases. Ze weet dat het neerkomen belangrijk is. Ook dat wil ze goed trainen. Haar lichaamsgewicht moet ze soepel opvangen door het buigen van haar voet, enkel, knie en heupgewricht. Het afwikkelen van de voet is heel belangrijk.
'Teen, bal, hiel...,' mompelt ze.
Chrissy maakt nog een paar sprongen waarbij ze speciaal op lichtheid en veerkracht let.
Ze verbaasd zich voortdurend over de manier waarop hiphop dansers lichtheid in hun dans kunnen verwerken. Het lijkt wel alsof ze onzichtbare luchtkussentjes onder hun voeten hebben. Wat zou het heerlijk zijn als ze dat goed

onder de knie zou hebben.
Ze probeert verschillende bewegingen met haar schouders en armen uit. Hoe meer ze oefent, hoe beter het gaat. Wanneer ze sommige bewegingen onder controle heeft, voert ze de snelheid van de dansprongen op. Dat geeft bij deze bewegingen een beter effect.
Chrissy krijgt er steeds meer plezier in. Ze weet dat het niet haar sterkste kant is, maar is wel tevreden over hoe het nu gaat.
Ze zal Stefan eens wat laten zien.
Voor ze het weet is er een uur voorbij en hoort ze haar moeder vanuit de praktijk, die naast het huis gebouwd is, de keuken binnenkomen. Haar moeder heeft een psychologenpraktijk aan huis. Haar vader werkt als psycholoog in het ziekenhuis.
'Anybody home?' roept ze door het huis.
'Yes! Me, your daughter!'
Chrissy roetsjt de trap af om haar moeder te begroeten.
Robin zit niet meer in de kamer.
'Zijn er nog spannende dingen gebeurd?' vraagt Annelies van Dungen.
'Niet echt.'
'Hard gewerkt?'
Chrissy veegt onzichtbare zweetdruppeltjes van haar voorhoofd. 'Afzien,' overdrijft ze.
'Was je aan het dansen?'
'Hiphop,' beaamt ze.
'Heb je vroeger niet veel gedaan.'
'We hebben een jongen in de groep, die heel goed is.'
'Wil jij indruk maken?' grapt Annelies.
'Waarom zou ik,' reageert ze snel.
Annelies loopt lachend naar het aanrecht. 'Half zeven eten we.'

Chrissy gaat weer naar boven. Ze danst nog even en gaat dan uitgeteld achter haar computer zitten om haar e-mail te checken.
Een berichtje van Sara.
Dat had ze eigenlijk wel verwacht. Vanmiddag, toen Stefan haar mobiele nummer en e-mailadres opschreef, keek ze met een scheef oog op het papier.

Aan: Chrissy
Van: Sara

Hi Chrissy
Ik weet niet zeker of ik het e-mailadres goed onthouden hebt.
Ik merk het vanzelf als je terugmailt.
Heb je nog geoefend?
Ik wel.
Morgen krijgen we Leine. Ze is streng.
Ben je nog lang gebleven?
Stefan vindt jou zeker leuk?

Chrissy slaakt een zucht. Zie je wel, het gaat om Stefan!
Ze heeft geen zin in moeilijk gedoe.
Misschien is het beter om geen vriendinnen te hebben. Ze bemoeien zich overal mee en voor je het weet krijg je te maken met jaloezie.

Aan: Sara
Van: Chrissy

Je hebt het e-mailadres goed onthouden.
Ja, ik heb geoefend.

Nee, ik ben niet lang gebleven.
Stefan is een eikel.

Chrissy leest de e-mail over, voordat ze hem verstuurt. Op het laatste moment haalt ze de laatste zin weg. Dat Stefan een eikel is, hoeft zij niet te weten. Daar voor in de plaatst, vraagt ze of Sara toevallig de krant van gisteren nog heeft. Er komt geen reactie meer.

5

De brief

Zenuwachtig trommelt Sara met haar vingertoppen op haar bureaublad terwijl ze onafgebroken naar het computerscherm staart.
Waarom stelt Chrissy die vraag aan haar?

Hebben jullie toevallig de krant van gisteren nog?

Heeft Chrissy gezien dat zij een pagina uit de krant gescheurd heeft?
Of is het puur toeval?
Sara wil dat er zo weinig mogelijk mensen die advertentie zien. Dat vergroot haar kansen!
Waarom lag die krant in de kantine van de academie?
Meegenomen door een enthousiasteling?
Natuurlijk reageren anderen op de advertentie. Dat kan ze niet voorkomen. De krant wordt in deze regio verspreidt. Maar de meesten zullen het niet gezien hebben. Tenminste, dat hoopt ze.
In gedachten gaat ze terug naar hett moment dat ze alleen aan dat tafeltje in de kantine zat.
Niemand kan het gezien hebben. Ook Chrissy niet.

Aan: Chrissy
Van: Sara

Hi Chrissy,
Sorry dat ik naar Stefan vroeg.
Verliefde mensen verraden zich altijd! ☺

Daarom!
Ik zal niets meer vragen en wachten totdat jij uit jezelf over hem vertelt.
Welke krant zoek je en waarom? Als het moet wil ik wel in de doos met oud papier duiken.

Greetz,
Saar.

Nu maar hopen dat Chrissy bijt!
Na een uur is er nog geen reactie.
Sara trekt het toetsenbord naar zich toe en tikt aarzelend de eerste zinnen voor de belangrijke brief.

Beste mevrouw, meneer.

Vandaag heb ik de advertentie in de krant gezien.
Ik zou graag in aanmerking komen.
Ik ben dertien. Is dat een bezwaar?

6
Liefde in de lucht

Chrissy heeft slecht geslapen. Ze had een vervelende droom, die zich bleef herhalen.
Het ging over het evaluatiemoment dat na de herfstvakantie in werkelijkheid ook plaats zal vinden.
Alle kinderen van 1D moesten in haar droom solo en in de groep dansen. Aan de zijkant van de danszaal zaten drie strenge docenten achter een tafel die de leerlingen zouden beoordelen.
Twee weken van te voren had iedereen een opdracht gekregen. Met behulp van verschillende dansdocenten zijn de opdrachten uitgewerkt. Ze moesten ook improviseren. De angst dat je iets moet doen, wat je niet ligt, is groot. Tijdens improvisatie kan veel mis gaan. Vooral als goede ideeën op het juiste moment uitblijven en je maar wat stuntelt op de dansvloer.
Stefan kwam naar haar toe. 'Dans met mij!' fluisterde hij met een zwoele stem in haar oor. 'Samen dansen we de sterren van de hemel.'
'Jij wilt alleen maar hiphop?'
'Dat kun jij ook.'
'Niet zo snel en goed als jij.'
'Ik neem je mee in mijn dans.'
'Dat gaat mis.'
'Kom mee.' Stefan legde een arm om haar middel en trok haar mee naar het midden van de zaal.
'Ik wil niet.'
'Het moet. Ze wachten.'
'We hebben niet geoefend,' fluisterde ze paniekerig.

Ze danste met Stefan, maar dat ging niet. Hij is goed in hiphop, zij niet.
De klas lachte haar uit. De docenten die hen moesten beoordelen, schudden het hoofd.
'Hoe kun je ons dit laten zien, terwijl je zoveel talent hebt?' vroeg Edith die hun klassenlerares is.
Chrissy rukte zich los en rende de zaal uit.
En dan begon de droom opnieuw met een arm die om haar middel werd gelegd en een stem die in haar oor fluisterde: *'Dans met mij.'*
Waarom is Stefan het onderwerp van haar droom, terwijl ze hem afgeschreven heeft?
Na het ontbijt en een snelle douche staat ze in haar uppie een kwartier te vroeg in het fietsenhok van de dansacademie.
Vermoedelijk staat Sara haar ergens op een kruispunt op te wachten. Jammer dan. Er valt haar niets te verwijten, ze hadden niets afgesproken. Chrissy wil liever geen gewoonte van de dingen maken.
Ze rommelt wat in haar tas om de tijd te doden.
'He, Stefan!' roept een meisje over de binnenplaats.
Chrissy tilt met een ruk haar hoofd op en ziet Stefan op een afstand van vijftig meter bij de stalling stilstaan. Hij draait zich om en wacht totdat het meisjes naar hem toekomt.
Chrissy rekt zich uit om te achterhalen wie geroepen heeft. De stem herkent ze.
Het is Elmy, een meisje uit hun klas.
'Het was gisteren leuk.'
'Vond ik ook.'
'Vaker doen?'
'Waarom niet?' lacht Stefan. 'Sorry, dat ik te laat was.'
'Vergeten, hè?'

'Bijna.'
Het lijkt alsof zich van het ene op het andere moment een steen in Chrissy's maag vormt.
Had hij een afspraak met Elmy?
Waarom heeft hij dat niet gewoon gezegd?
Maakt hij met verschillende meisjes afspraken?
Heeft ze zich zo onwijs in hem vergist?
Ze doet haar fiets op slot en loopt met opgeheven hoofd door de stalling in de richting van de binnenplaats. Wanneer ze langs Elmy en Stefan loopt, groet ze.
Het tweetal groet vrolijk terug.
Nooit geen chocolademelk meer, schiet het door Chrissy's hoofd.
Wanneer ze moederziel alleen door de brede gang naar de danszaal loopt, hoort ze snelle voetstappen naderen.
Stefan?
Ze kijkt niet om.
'Nog iets gehoord van Sara?' vraagt Stefan.
Chrissy kijkt verbaasd opzij. 'Vind je dat interessant?'
Stefan haalt zijn schouders op. 'Ik vroeg me af...'
'Vraag haar zelf,' onderbreekt ze hem en loopt met grote passen de andere gang in.
Wat ze stiekem hoopt, gebeurt niet; Stefan komt haar niet achterna.
Nou ja, wat moet ze met hem?
Chrissy kleedt zich snel om en stapt als eerste de danszaal binnen.
Leine, de jazzdocent, is er al. 'Ha, vroege vogel!' groet ze.
Chrissy loopt naar haar toe en gaat op een bankje bij haar zitten.
Leine werpt een heimelijk blik in haar richting.
'Is hiphop moeilijker dan jazz?' vraagt Chrissy.

'Nee. Het hangt er van af welke stijl jou het meest ligt. Hiphop is snel en strak. Jazz is meer met emotie en gevoel. Bovendien moet je veel meer opletten op netheid en plaatsing van je armen. Wanneer je het lastig vindt met emotie te dansen is jazz volgens mij veel moeilijker. Wanneer je alles niet heel snel en strak kunt, is hiphop weer moeilijker. Het verschilt per persoon.'
Chrissy knikt. 'Streetdance is nog steeds populair, hè?'
'Ontzettend!' antwoordt Leine lachend. 'Er zijn veel meisjes van negen tot en met veertien jaar die dit doen. Streetdance is stoer. Je ziet het ook veel op televisie, in clips en in films. Toch merk ik vaak dat meisjes met jazz beginnen, omdat daar veel basispasjes geleerd worden. Daardoor let je later veel meer op de plaatsingen van je armen, de strakheid, de krachtigheid enzovoort. Dat is alleen maar in je voordeel. Maar, ook logisch. Een goede basis, is altijd handig.'
'Vind je jazz het leukst?'
'Moeilijke vraag.' Leine staat op om muziek uit te zoeken. 'Jij?'
'Ik hou van alles.'
'Ben je een emotiedanser?'
'Denk het wel.'
'Klassiek ballet?'
'Vind ik heel mooi,' antwoordt Chrissy.
'Moderne, experimentele dans?'
'Ook, maar weinig ervaring.'
'Hiphop?'
Chrissy schudt het hoofd. 'Nog minder ervaring.'
'Wie goed is in hiphop, doet alles heel strak. Maakt alle pasjes af, wanneer je een snelle dans hebt. Ik zie vaak bij jongens en meiden dat ze dat juist niet doen, omdat ze dan het andere pasje te laat inzetten. Wanneer je strak en snel

danst en alles afmaakt, ziet jou dans er veel beter uit. Bij hiphop gaat het vooral ook om jouw eigen stijl. Hiphop hoeft er niet 'gelijk' uit te zien. Iedereen heeft zijn eigen 'move'. Bij jazz moet een arm op het juiste moment omhoog. Bij hiphop kan de één hem snel de lucht insteken en de ander langzamer. Natuurlijk moet het wel op de maat van de muziek, maar het kan gewoon wat anders dan bij je mededanser. Neem bijvoorbeeld de handen. De ene steekt een vuist in de lucht bij hiphop. De ander een jazzhand. Wanneer iemand het strak doet en zijn eigen stijl volgt, ook wel 'flow' genoemd, dan kan dat ontzettend gaaf zijn. Streetdance gaat ook strak en snel, maar daar moet alles wel gelijk gaan in de groep. Bij hiphop is alles wat losser, om het zo maar te zeggen. Wil je wat meer ervaring opdoen met hiphop?'

'Mwah, ik weet niet.'

Ondertussen zijn er een paar leerlingen van 1D de danszaal binnengekomen. Sommigen beginnen met een eigen warming up aan de barre. Anderen zitten op de bank met elkaar te praten.

Chrissy ziet Stefan en Elmy bij elkaar staan. Ze kijkt opzettelijk de andere kant op.

'Chrissy!' Sara staat in de deuropening van de kleedkamer.

'Hai!' Chrissy loopt naar haar toe.

'Ik heb bij het kruispunt staan wachten.'

'Dacht ik al.' Chrissy gaat op de grond zitten. 'Ik was vroeg.'

'Is er wat?'

'Waarom zou er wat zijn?'

'Weet ik niet.'

'Nou dan.'

'Stefan?'
'Wat Stefan?'
'Nou ja, gisteren was te merken dat er liefde in de lucht hing.'
'Praat niet zo hard.'
'Heb ik gelijk?'
'Dat maak jij er van.'
'Nee hoor.' Sara lacht spottend.
'Ik heb niks met hem.'
'Elmy?'
'Ik denk het.' Chrissy heeft helemaal geen zin om over Stefan te praten. Dat is hij niet waard. De eikel.
Nog steeds kan ze niet geloven dat ze zo stom was om te denken dat hij haar aardig vond.
Het project 'Marjolein en Fedor' is ook op niets uitgelopen.
'Liefde laat zich niet dwingen,' heeft ze haar vader eens horen zeggen.
Het is wel een probleem wanneer je verliefd bent en dat is niet wederzijds.
'Nee, joh.'
'Wat?'
'Elmy heeft niks met hem.'
'Hoe weet jij dat nou?'
'Geoefend oog.'
'Wat?'
'Zoiets kan ik zien.'
'Boeiend.'
Leine klapt in haar handen. 'De groep is compleet!'
Chrissy staat op.
Sara ook.
'Ik wil niet dat je over Stefan praat.'

'Is goed,' gniffelt Sara.
Ze beginnen met een pittige warming up van bijna twintig minuten.
'Jongens en meisjes,' begint Leine na afloop. 'Ik heb net met Chrissy over verschillende dansstijlen gepraat. Vooral over hiphop. Ik vertelde dat wanneer je jazzles hebt gehad, een goede basis hebt voor hiphop. Het is belangrijk dat je strak danst en alle passen afmaakt. Omdat ik merk dat Chrissy om één of andere onduidelijke reden wat meer hiphop wil doen, zal ik daar bij hoge uitzondering vandaag aandacht aan besteden.'
Stefan draait zijn hoofd om en kijkt Chrissy fronsend aan.
Ze krijgt een vuurrood hoofd.
Dit is vre-se-lijk!
Ze zou wel te plekke door de dansvloer willen zakken.
'We gaan eerst een paar andere dingen oefenen. Zoals de Jump, de Pas de Bourré en de Scoop.' Leine knipoogt vrolijk naar Chrissy.
'Waarom zegt ze dit,' fluistert Chrissy wanhopig.
'Omdat zij ook gemerkt heeft dat er liefde in de lucht zit.'

7

Zeker niet

Chrissy heeft het gevoel heeft dat iedereen op haar let, dus focust ze zich helemaal op het dansen.
Ze heeft daarnet alleen maar een paar simpele vragen over hiphop gesteld. Hoe kan Leine daaruit afleiden dat ze verliefd is?
Belachelijk!
Het had helemaal niets met Stefan te maken.
Hoe hij keek…
Chrissy voelt haar hart bonken van inspanning.
Ze doet haar best.
Na een kwartier mogen ze uitrusten.
'Dan gebruik ik die tijd om te evalueren!' kondigt Leine quasi plechtig aan.
Stefan gaat naast Chrissy op de grond zitten.
Hij doet het er om, denkt ze!
Sara geeft Chrissy een onopvallende duw tegen het bovenbeen.
Chrissy kijkt strak voor zich uit.
'Hoe vond je het?' vraagt Stefan.
'Vermoeiend.'
Hij lacht. 'Verder?'
'Niet mijn ding.'
'Nee?'
'Nee!'
'Je zou het goed kunnen.'
Chrissy perst haar lippen op elkaar.
'Meer oefenen,' zegt hij.
'Heb genoeg te doen.'

'Ik wil je wel helpen.'
Chrissy werpt een vluchtige blik opzij. 'Voor de prijs van een beker chocolademelk?'
'Deal.'
Chrissy schudt haar hoofd.
'Als er ruimte is mag je op vrije uren oefenen in de danszaal.'
'Wil Elmy niet?'
Stefan is even in verwarring gebracht. 'Ik vraag het jou.'
'Niks voor mij.'
'Dan niet,' mompelt hij teleurgesteld.
'Sukkel,' fluistert Sara in Chrissy's oor.
'Bemoei je er niet mee.'
Leine vertelt wat haar is opgevallen en benadrukt dat de meeste kinderen de bewegingen niet afmaken. 'Aan het begin vertelde ik het jullie. Het moet er heel strak uitzien, dus zullen alle bewegingen goed afgemaakt moeten worden. Als de armen eerst naar beneden moeten, laat ze dan niet halverwege alweer omhoog gaan. Dat haalt de kracht uit de dans. Het wordt rommelig. Stefan was de enige die alle pasjes en bewegingen afmaakte. Ik kon hem geen enkele keer betrappen op half werk.'
'Het moet zo snel,' verzucht Nynke.
'Je wilt toch niet voor de helft dansen?'
'Het is gewoon te moeilijk om dat allemaal in één keer te kunnen.'
'Daarom moet je veel oefenen,' glimlacht Leine.
Het gesprek krijgt een wending wanneer Leine vraagt waarom ze allemaal zo graag willen dansen? 'Wat is jullie noodzaak?'
'Noodzaak?' Anne kijkt de kring rond.
'Misschien moet ik het anders zeggen. Waarom willen

jullie zo graag dansen? Voordat jullie op de dansacademie werden toegelaten, zijn er al heel veel lessen aan vooraf gegaan.'
'En vele uren thuis geoefend!' vult Quinty aan.
'En pijn geleden!' overdrijft Vera.
'Is dansen zo zwaar?'
'Om een goede danser te zijn, wel!' knikt Vera. 'Ik heb de afgelopen dagen veel geoefend om deze les niet af te gaan. Ik wil mijn best doen. De meeste dingen komen me niet aanwaaien.'
'Zullen ze ook nooit doen,' plaagt Coen.
Iedereen lacht.
'Is dansen voor jullie vooral hard trainen? Zware warming ups, pijnlijke spagaatoefeningen, buikspieroefeningen en voeten waar je aan het eind van de dag niet meer op kunt staan?'
Alle hoofden bewegen op en neer.
'Dansen is toch meer dan dat?'
Het is even stil in de grote danszaal.
'Dansen geeft zoveel voldoening,' vindt Leine. 'Ook wanneer je optreedt voor een groot publiek.'
Een optreden ziet niemand zitten op dit moment. Eerst nog veel oefenen.
In groep 1D zitten drie jongens; Rachid, Coen en Stefan. Rachid valt op door zijn lichtbruine huidskleur en zwarte haren. Het is een aardige jongen die vermoedelijk als baby al swingend in de box stond. Rachid en Coen hebben beide halflang haar dat tot hun schouders reikt. Het staat hen goed. Stefan heeft hagelwit stekeltjeshaar en vormt een contrast met het uiterlijk van de andere twee jongens.
Chrissy heeft de indruk dat Coen een perfectionist is. Rachid en Stefan dansen losser en zijn goed in het improviseren.

Haar andere klasgenoten, Elmy, Nynke, Anne, Quinty, Denise, Amarins, Linde en Vera, zijn aardig. Maar ze kent ze nauwelijks. Met Sara heeft ze een paar keer na schooltijd afgesproken. Als het aan Sara ligt, gebeurt dat elke dag.
Waarschijnlijk voelt Sara zich niet thuis op de woonboerderij van haar oom en tante in Hevelem. Haar ouders zijn beiden overleden, waardoor ze bij haar opa en oma kwam te wonen. Toen ze na het doen van de audities toegelaten werd op de dansacademie in Roosburch, was het vanzelfsprekend dat ze naar haar oom en tante in Hevelem ging. Een klein dorpje op zes kilometer afstand van Roosburch. Ze kent verder niemand en doet niet echt moeite om daar verandering in te brengen.
Dat zal ook de reden zijn dat Sara steeds met haar wil afspreken.
Ze kan het goed vinden met Sara, maar ze is niet goed te peilen.
Zolang de ruzie met Marjolein niet is bijgelegd, houdt Chrissy liever en plekje voor haar vriendin vrij. Er zal gerust een moment komen dat het weer goed komt.
'Ik vond het vroeger zo gaaf om de spagaat te kunnen,' gaat Leine verder. 'Ik bleef net zo lang oefenen totdat ik hem kon. Daarna ging ik door naar de Pirouette. Ik wilde er heel veel achter elkaar kunnen draaien. Ik was toen een jaar of zeven, acht en oefende op mijn kamer. Ik zat soms onder de blauwe plekken van het vallen. Ik wist van geen ophouden. Wanneer ik oefende, deed ik witte sokken aan. Dat vond mijn moeder niet leuk. Want ze werden aan de onderkant behoorlijk vies. Nu train ik niet meer op sokken. Dat is veel te gevaarlijk op gladde vloeren. Als kleuter ging ik naar de eerste groep van jazzdansen. Ik vond het geweldig. Het is natuurlijk ook schattig om al die kleintjes te zien

dansen. Een paar jaar later stopten alle meisjes van mijn groep. Ze gingen op zwemmen, volleybal op paardrijden. Ik begreep dat niet. Ik wilde juist verder, maar de groep werd opgeheven. Ik kon bij hele jonge kinderen geplaatst worden of naar een andere stad gaan. Dat vond ik doodeng. Uiteindelijk heb ik op aandringen van mijn moeder de stap genomen om me aan te melden bij een jazzgroep in een stad waar ik niemand kende. Elke week riep ik, dat ik van dansen af wilde. En elke keer zei mijn moeder dat ik moest volhouden. Dat de meisjes vanzelf mijn vriendinnen zouden worden. Vergeet nooit dat het om het dansen gaat. Ik ben mijn moeder eeuwig dankbaar,' voegt Leine er aan toe. 'Zij zag dat dansen mijn passie was. Ik had het bijna opgegeven.'
'Dansen is heel speciaal,' beaamt Denise met stralende ogen.
'Leg maar uit wat dat speciale is,' zegt Leine uitdagend.
Iedereen denkt na.
'Dansen is alles,' zegt Chrissy zachtjes. 'Alles wat je doet. Dat ben je dan helemaal zelf.'
Leine knikt bedachtzaam.
'Als ik blij ben, heb ik vleugels. Dan gaat dansen vanzelf!' merkt Quinty op.
'Wat, als je verdrietig bent?'
'Dan kan ik niet dansen,' zegt Amarins.
Denise, Vera en Nynke knikken.
'Ik wel,' realiseert Chrissy zich.
'Hoe?' Sara kijkt haar vragend aan.
'Dan zet ik hele gevoelige, zachte muziek op. Het helpt mij in ieder geval om te dansen als ik me rot voel.'
'Muziek moet er voor zorgen dat je lekker kunt dansen,' vindt Leine. 'Wanneer de muziek je niet raakt, gaat dansen

ook niet goed.'
Een paar minuten later staan ze naast elkaar om verder te oefenen met een pas aangeleerde dans.
'Even geen hiphop meer,' grijnst Sara.
Stefan kijkt naar Chrissy.
Ze wendt haar blik af.
Alsjeblieft, kijk de andere kant op, smeekt ze inwendig. Anders smelt ik door die lichtblauwe ogen die mij aankijken. Dat wil ik niet.
Stefan merkt dat Chrissy hem probeert te ontlopen en is zo verstandig om niet meer bij haar in de buurt te komen.
Chrissy kijkt af en toe naar Elmy.
Zou Stefan haar leuk vinden?
En Elmy hem?
Elmy is een rustig meisje, dat niet zonodig op de voorgrond hoeft te treden. Het steekt Chrissy dat zij gisteren een afspraak met Stefan had.
Volgens Sara hebben ze niets.
Zou Sara gelijk hebben?
Elmy zoekt hem niet op. Dat doet ze misschien met opzet, zodat het niet opvalt.
Chrissy slaakt een zucht.
'Is dansen zo zwaar?' vraagt Stefan.
Chrissy verstrakt. Hoe kan het dat hij opeens naast haar staat? Ze heeft niets gemerkt.
'Valt mee,' glimlacht ze.
'Toch leuk dat we hiphop hebben gedaan.'
'Ja.' Chrissy loopt naar Sara.
'Je wordt verstandig,' grinnikt Sara. 'Je gaat niet op zijn charmes in.'
'Hou nou eens op over Stefan. Ik heb niks met hem.'
'Bewijs dat maar eens.'

Chrissy rolt met haar ogen. 'Zullen we vanmiddag afspreken?'
'Jij en ik?'
'Ja. Oefenen!'
Sara perst haar lippen op elkaar. 'Komt nu niet zo goed uit.'
'Niet?' Chrissy's wenkbrauwen gaan vragend omhoog. Vreemd. Sara probeert bijna dagelijks met haar af te spreken. Nu doet ze zelf een voorstel en blijkt Sara niet te kunnen.
Opeens heeft ze het gevoel dat er allerlei dingen rondom haar gebeuren, waar ze geen weet van heeft.
'Morgen, dan?' oppert Chrissy
Sara schudt aarzelend haar hoofd. 'Deze week lukt zeker niet.'

8
Over en uit?

Chrissy voelt dat er iets niet klopt, maar durft Sara niets te vragen.
De lessen Biologie en Wiskunde duren een eeuwigheid. Ze maakt kleine tekeningen in haar agenda en luistert nauwelijks naar wat er gezegd wordt.
Hoe leuk en spannend de eerste week op Dans Academie Roosburch verlopen is, zo anders verloopt de tweede week.
Wat zit haar dwars?

Marjolein
Stefan
Sara

Ze noteert de namen onder elkaar in haar agenda.
Marjolein.
De ruzie met Marjolein duurt al meer dan een week en vreet energie. Ze kan er niet tegen. De gedachten dat een vriendschap zonder reden als een zeepbel uit elkaar spat, doet pijn. Ze heeft er moeite mee dat Marjolein nu wel wil afspreken, omdat het niets met Fedor wordt.
Als ze morgen verliefd wordt op bijvoorbeeld Herman, Theo, Lars, Jeroen of Lennart, dan heeft ze haar vriendin niet meer nodig!
Het vertrouwen is weg.
Na een aarzeling zet ze achter Marjoleins naam een uitroepteken.
Stefan.

Stefan doet aardig en toont meer interesse in haar. Dat betekent niet dat hij verliefd is. En wat haar gevoelens betreft? Ach, ze heeft weinig of geen ervaring met jongens. Ze is ook niet het type dat jongens achterna loopt om aandacht te krijgen. Waarom zou ze? Wat verandert dat aan haar leven? Eigenlijk begrijpt ze Stefan niet. Dat vreemde gevoel in haar buik, gaat vanzelf over.
Ze zet een dikke streep door de naam Stefan.
Sara.
Chrissy kauwt op het uiteinde van haar pen en kijkt voorzichtig opzij naar Sara die een paar tafeltjes verderop zit. Ze heeft het ene been over het andere geslagen en beweegt dat onrustig heen en weer. De telefoon die ze op haar tafel heeft liggen, trekt ze naar zich toe om te kijken of er een bericht is binnengekomen.
Blijkbaar niet.
Ze schuift de telefoon terug naar de rand en doet alsof ze naar de leraar luistert die zijn best doet om een wiskundige formule uit te leggen.
Anders dan anders, vindt Chrissy.
Zou Sara een geheim hebben?
Achter de naam van Sara zet ze een vraagteken.
Waarom wil Sara niet samen oefenen, terwijl ze er bijna elke dag om smeekt?
Wat is er aan de hand?
Eén ding weet Chrissy wel zeker: Sara zal zwijgen.
Rond drie uur is klas 1D vrij. Met een boekentas en een sporttas vol dansspullen lopen ze in uitgelaten stemming naar buiten.
Elmy versnelt haar pas en gaat naast Stefan lopen.
Chrissy spitst haar oren.
'Heb je vanmiddag iets afgesproken?' vraagt Elmy.

Stefan schudt het hoofd. 'Wil je nog een keer?'
'Ik vond het gaaf.'
Chrissy kan alles verstaan, maar snapt er geen hout van.
Stefan knikt en kijkt over zijn schouder. Zijn ogen glijden zoekend langs de gezichten van de klasgenoten van 1D.
Nu ontwijkt Chrissy zijn ogen niet.
Stefan zegt iets tegen Elmy en doet een stap opzij. Hij wacht op Chrissy.
'Mag ik wat vragen?'
Chrissy's hart maakt een zenuwachtig sprongetje. 'Je mag alles vragen.'
'Heb je vanmiddag iets afgesproken?'
'Ja.' Chrissy is op haar hoede.
'Is het belangrijk?'
'Dat ga ik jou niet aan de neus hangen,' lacht ze.
'Vertrouw je me niet?' plaagt hij terug.
'Voor tweehonderd procent.'
'Nou, dan!'
Chrissy steekt haar tong uit.
'Ik wil je uitnodigen.'
Chrissy schudt haar lange blonde haar naar achteren. 'Er zijn genoeg anderen.'
'Ik vraag jou. Jij bent bijzonder.'
'Je bent de zoveelste die dat verteld.'
Stefan schiet in de lach. Voordat hij de kans krijgt om uit te leggen waar hij Chrissy voor wil uitnodigen, vertelt Chrissy dat haar afspraak te belangrijk is om te verzetten.
'Jammer.' Stefan maakt een spijtig gebaar en loopt zwijgend naast haar verder. Hij doet geen tweede poging.
Sara, die net weg wil fietsen, schudt afkeurend haar hoofd.
'Probeerde hij het weer?'
'Jij ziet ook alles?'

'Dat ontgaat niemand. Hij zoekt jou steeds op.'
'Dat is niet waar.'
Sara grinnikt zacht.
Chrissy doet haar sporttas onder de snelbinders.
'Tot morgen!' roept Sara en fietst staand op haar pedalen weg.
Chrissy fronst haar voorhoofd. Andere keren stond ze altijd te wachten en hoopte dat ze een eindje met Chrissy kon terugfietsen.
Is ze ook verliefd?
Heeft ze een jongen ontmoet en mag niemand dat weten?
Zou dat het zijn?
Het verklaart waarom ze steeds opmerkingen maakt over Stefan en haar. 'Er hangt liefde in de lucht,' merkte ze op.
Als Chrissy de binnenplaats verlaat ziet ze Stefan en Elmy samen een straat in fietsen. Haar maag knijpt samen. Natuurlijk had zij naast hem willen fietsen. Maar, ja…
Waar is Sara gebleven?
Chrissy kijkt verbaasd om zich heen. Sara fietst niet naar Hevelem, maar gaat in de richting van het centrum van Roosburch.
Wat moet ze daar?
Als ze gaat winkelen, had ze Chrissy meegevraagd.
Er gaat een belletje rinkelen: Sara heeft een date!
Chrissy zet de achtervolging in, omdat ze wil weten waarom Sara opeens anders doet. Juist nu ze voor zichzelf besloten heeft om vriendschap met Sara te willen sluiten, lijkt Sara af te haken. Dat moet een reden hebben.
Wanneer Chrissy de hoek om is en het stadscentrum nadert, is Sara al uit beeld verdwenen.
'Shit.'
Chrissy fietst een paar rondjes over het plein, maar er is

nergens een spoor van Sara te bekennen. Ook haar fiets kan ze niet ontdekken.
Is ze de stad alweer uit?
Chrissy slaakt een zucht. Er zit niets anders op dan naar huis te gaan.
Op de keukentafel ligt een rode envelop.
Haar naamstaat aan de voorzijde.
Nieuwsgierig pakt ze de envelop.
Geen afzender.
Gehaast brengt ze haar danspullen naar de wasmachine.
Een brief van Stefan?
Met een schaar knipt ze de bovenkant van de envelop open en haalt er een prachtige kaart uit met aan de voorzijde een veld vol met rode klaprozen.

Beste Chrissy

Ik hoopte dat je contact zou opnemen.
Ik wil je niet meer lastig vallen met sms'jes of mailtjes.
Je hebt duidelijk laten merken wat je van mij vindt.
Sorry, voor alles.
Ik kan je geen ongelijk geven.

Marjolein.

Over en uit!
Marjolein zet er een punt achter. Ze heeft te lang moeten wachten op een reactie van haar.
Geeft ze het zo snel op?
Ruw veegt Chrissy met de rug van haar hand tranen van haar wang.
Wat nu?

Niet reageren en doen alsof de kaart nooit is aangekomen?
Was er maar niets gebeurd.
Boven op haar kamer huilt ze stilletjes. Het komt hard aan.
Dit had ze niet verwacht.
Minuten gaan voorbij.
Ze kijkt naar het computerscherm en toets het e-mailadres van Marjolein in.
Een bericht is zo verstuurd.

Aan: Marjolein
Van: Chrissy

Hoi
Vandaag heb ik jouw kaart gekregen.
Is dat wat je wilt? Geen vriendschap meer?
Misschien moeten we afspreken. Op deze manier vind ik het niets.
Chrissy

9

Leuk nieuws, toch?

Alweer een nieuwe dag, denkt Chrissy wanneer ze met Linde, Amarins, Denise en Sara door de brede gang loopt. Op de academie vliegen de dagen om. Behalve gisteren. Toen heeft ze anderhalf uur op haar kamer doorgebracht met niets doen. Wanneer ze opstond, ging ze direct weer zitten, omdat ze dacht dat er misschien een nieuw e-mailbericht was binnengekomen. Helaas. Hoe graag ze het ook had gewild, Marjolein heeft niet gereageerd.
Schietgebedjes zijn niet verhoord.
Alles wijst er op dat Marjolein een rigoureuze streep door hun vriendschap heeft gehaald.
Sara stoot Chrissy aan. 'Luister je wel?'
'Heb ik iets gemist?'
'Leuk nieuws!'
Chrissy laat haar ogen afwachtend langs de gezichten van de andere meisjes glijden. 'En, dat is?'
'Ik heb een gesprek afgeluisterd tussen Lars en Edith,' vertelt Denise triomfantelijk.
Lars is docent moderne dans en Edith is de klassenlerares.
'Het ging over ons. Over 1D. In het begin hebben we twijfels gehad.' zei Edith. 'Maar nu ik ze bijna twee weken heb gevolgd, zie ik een positieve ontwikkeling. Iedereen heeft sterke en zwakke kanten, maar ze willen er allemaal voor gaan! De inzet van 1D vind ik geweldig. Een veelbelovende groep jonge mensen!'
'Zei ze dat?'
'Laat me uitpraten,' grinnikt Denise. 'Lars was het helemaal met haar eens. Hij zei toen dat hij het gevoel had dat 1D een

speciale klas was met leerlingen die een prachtige danscarrière tegemoet zullen gaan.'
'Wow!'
'Ik geloof niet in sprookjes,' zegt Sara opeens.
'Goed beginnen, is het halve werk,' vindt Amarins.
'Je kunt wel van alles willen, maar het gaat toch anders.'
'Positief blijven!' roept Linde.
'Daar heeft het niets mee te maken. Ik ben realistisch.'
'Ik wil in sprookjes blijven geloven,' zegt Denise.
Sara haalt haar schouders op. 'Dat mag.'
Ze naderen de kleedkamers.
Amarins bonkt op de deur van de jongenskleedkamer. 'Zijn jullie er al?'
Er volgt een angstaanjagend gejoel.
Lachend verdwijnen de meisjes in hun kleedkamer.
Tijdens het omkleden beseft Chrissy dat ze het al gewoon vindt om iedere ochtend in de danszaal te zijn.
Bestaat er iets mooiers om de dag mee te beginnen?
Lars wacht de dansers van 1D handenwrijvend op.
Wanneer Stefan met Coen en Rachid de danszaal binnenkomt, haast Elmy zich naar hem toe.
Ze maakt een spijtig gebaar. 'Vanmiddag lukt niet.'
'Er komen meer middagen,' zegt hij.
'Daarom! Als jij wilt...?'
'Misschien.' Hij kijkt aarzelend in Chrissy's richting,
Elmy noemt haar naam, maar Chrissy doet alsof ze niets hoort.
Hij gaat naast haar staan. 'Vandaag weer een belangrijke afspraak?'
Ze schudt het hoofd.
'Wil je mee?'
'Er bestaat ook nog zoiets als huiswerk.'

'Een uurtje van jouw kostbare tijd. Meer vraag ik niet.'
'Toe nou maar,' dringt Sara aan. 'Die jongen houdt niet op met vragen.'
Stefan grinnikt.
'Wat is de bedoeling?' wil Chrissy weten. 'Chocolademelk drinken?'
Stefan schudt zijn hoofd. 'Wil je me helpen met lesgeven?'
'Lesgeven?!' Chrissy staart hem aan alsof ze water ziet branden. 'Geef jij les?'
'Op de naschoolse opvang, de bso.' Stefan legt haar uit waar de locatie is.
'Hoe kom jij op een bso terecht?'
'Via mijn moeder. Zij werkt daar. Er is een groepje kinderen van 5 tot en met 8 jaar. Ze zijn gek op muziek en dansen. Dus stelde mijn moeder voor om met de kinderen te gaan dansen. Dat heb ik twee keer gedaan. Samen met Elmy, die woont vlakbij. Het is een groot succes. Vandaag zijn er nieuwe kinderen. Ik wil liever niet in mijn eentje. Dus...'
'Hoe moet je les geven?'
'Dat gaat van zelf. De kleintjes vinden alles super!'
Chrissy schiet in de lach. 'Wat doe je dan?'
'Domme vraag! Hiphop, natuurlijk. Ga je mee?'
Chrissy is opgelucht nu ze weet waarom Elmy met hem meeging. 'Regel jij muziek?'
'Alles staat er al.'
'Ik doe het.'
'Gaaf,' vindt Stefan.
Met wel tweeduizend fladderende vlinders in haar buik begint ze met de warming up.
'Vijf rondjes!' roept Lars even later.
Daarna zijn de rek- en strekoefeningen aan de beurt. Ze staan allemaal aan de barre. De oefeningen zijn bedoeld om

de spieren langer te maken. Als laatste wordt de spagaat getraind.
Chrissy zit ongeveer vijftien centimeter van de grond af. Ooit zal het haar lukken. Daar is ze van overtuigd. Maar de laatste centimeters zijn wel het moeilijkst.
Na de warming up vertelt ze aan Sara dat ze met Stefan op de bso les gaat geven.
'Jij en Stefan?! Bizar!'
'Vind ik ook. We hebben vier uur afgesproken. Voor die tijd kun je nog even mee naar mijn huis. Als je wilt.'
'Kan niet.'
'O, ja. Dat had je gezegd.'
Sara loopt naar de kant, om een slokje water uit haar flesje te nemen.
Ze loopt voor me weg, denkt Chrissy. Ik mag iets niet weten.
Lars zegt dat hij na afloop van de les leuk nieuws heeft. 'Eerst trainen, daarna vertel ik het.'
De dansers van 1D kijken elkaar verwonderd aan.
Wat zou dat kunnen zijn?
Lars gebaart iedereen naar voren te komen. 'Ik noem straks bepaalde passen of bewegingen, die jullie moeten uitvoeren. Niet nadenken, niet bij elkaar afkijken, maar gelijk doen. Het gaat om concentratie, snelheid en beheersing. Ik verwacht er niet veel van, dus jullie stellen mij niet teleur!' voegt hij er met een brede grijns aan toe. 'Mensen die klassiek- of jazzballet als achtergrond hebben, zullen er waarschijnlijk minder moeite mee hebben. Heeft iedereen genoeg ruimte? Dan gaan we beginnen met de... Attitude!'
Fronsend kijken een paar leerlingen elkaar aan. Chrissy weet wat hij bedoelt. Een Attitude is een positie waarbij je op één been balanceert, terwijl het andere been gebogen omhoog komt. Ze doet het voor, 'Slide-step!'

Deze keer is Stefan de eerste die weet wat bedoeld wordt.
'Slide betekent glijden of schuiven. Soms over een bepaald lichaamsdeel,' legt Lars uit. 'De nadruk ligt altijd op het glijden. Kijk!' Lars doet de heupslide voor. 'Het slidebeen kruis ik gestrekt achter het standbeen. Nu buig ik het standbeen, en glijdt het slidebeen verder over de grond. Wanneer ik dieper kom, kan ik met mijn handen op de grond steunen.'
Iedereen kijkt aandachtig. Lars besteedt regelmatig tijd aan het ontleden van bewegingen. Hij benoemt dan elk detail. Het is belangrijk om elke fase van iedere beweging te weten. Hij geeft toe dat het moeilijk is, omdat dansen niet uit te leggen valt. 'Dansen, moet je doen.'
Voor de leerlingen is deze manier van werken zinvol.
Lars laat een voetslide zien en komt aan het eind van die beweging tot een Jazzsplit. De klas geeft hem spontaan een applaus.
'Nu jullie! Maak een Pas de Bourré.'
Pas de Bourré bestaat uit drie passen in het ritme kort-kort-lang. Dat weet iedereen wel.
De Bounche, Chassé, Scoop en Jump worden door Lars genoemd.
'Ik ben niet ontevreden,' zegt hij na afloop met opgestoken duimen. 'We stellen ons op en gaan verder met de dans waarmee we begonnen zijn. Het loopt niet lekker, maar dat ligt niet aan jullie. De choreografie moet anders.' Met verende passen loopt Lars naar de geluidsinstallatie om de muziek aan te zetten. Hij wacht geduldig totdat iedereen zijn plek in de zaal heeft opgezocht.
Chrissy is blij dat ze gisteren pasjes uit deze dans heeft geoefend. Ze denkt dat hiphop voor haar net iets te snel gaat waardoor de bewegingen te moeilijk worden. Het lukt niet

om alles goed af te maken. Heel frustrerend. Gelukkig is zij niet de enige die daar moeite mee heeft..
Haar hart maakt plotseling een sprongetje. Wow! Ze gaat samen met Stefan naar de bso om hiphop te geven! Niet te geloven!
Wat zou ze het graag aan Marjolein vertellen.
Wat haar verbaasd, is dat Sara niet vervelend reageert op Stefan. Ze lijkt het zelfs leuk te vinden dat Chrissy met hem naar die bso gaat. Chrissy begrijpt de verandering niet. Tot voor kort liep Sara haar achterna en greep elke kans aan om met Chrissy af te spreken. Stefans aanwezigheid vond ze niet leuk. Maar nu lijkt het haar allemaal niet meer te interesseren.
Het dansen gaat heerlijk, ook al maakt ze kleine foutjes en dwalen haar gedachten af.
Er zitten onzichtbare vleugels aan haar voeten.
Stefans schuld.
Na afloop heeft iedereen een rode kleur van inspanning.
Lars bedankt de klas voor hun inzet en vraagt of ze in een kring willen gaan zitten. 'Zoals beloofd, heb ik leuk nieuws voor jullie.'
'Zou hij verkering aan je vragen?' vraagt Sara zachtjes.
Chrissy kijkt niet begrijpend opzij. 'Waar heb je het over?'
'Doe niet zo onnozel.'
'Dat kan ik ook tegen jou zeggen.'
'Hij vroeg jou.'
'Alleen maar omdat Elmy vanmiddag niet kan.'
Sara grinnikt zachtjes. 'Misschien zit ze in het complot.'
'Stel je niet aan.'
'Mail je me vanavond?'
'Ik beloof niets,' antwoordt Chrissy met een scheef lachje.
Lars klapt in zijn handen. Hij hoeft maar een paar secon-

den te wachten, dan is het stil. 'Jullie weten dat dit een nieuwe opleiding is. Naast de extra uren voor dans, krijgen jullie alle theorievakken waarin over een paar jaar examen gedaan kan worden. Pas dan word je wel of niet toegelaten tot de officiële dansacademie.' Hij pauzeert een kort moment. 'Omdat de gemeente Roosburch een groot voorstander voor deze nieuwe vooropleiding was, hebben zij geld beschikbaar gesteld om te kunnen starten. Wij willen burgemeester, wethouders en de gemeenteraad in oktober uitnodigen voor een bijzondere voorstelling. Natuurlijk vragen we ook ouders, leerlingen van de dansacademie en andere belangstellenden te komen. Jullie begrijpen dat het er een prachtige voorstelling door jullie gedanst zal moeten worden. Tenslotte gaat het om jullie: dé talenten die met de nieuwe opleiding gestart zijn.'
'Is dat leuk nieuws?' mompelt Vera geschrokken.
De rest van de klas juicht opgewonden!
'Ja!' lacht Lars. 'Jullie mogen binnenkort voor het eerst in de grote danszaal optreden.'

10
Zenuwachtig

Sara fietst snel. Ze wil niet dat anderen zien waar ze naar toe gaat. Een paar keer kijkt ze achterom.
Chrissy mag het ook niet weten. Het komt goed uit dat Stefan haar meeneemt naar een buitenschoolse opvang. Dat leidt de aandacht van haar af.
Dat veel dingen in het leven anders lopen, weet Sara. Tegelijk weet ze ook dat onmogelijke wensen, soms mogelijk worden.
Dat gevoel dat er vandaag bericht komt, wordt sterker. Het zou heerlijk zijn als ze zekerheid zou hebben.
Het moet doorgaan!
Sara is bij het marktplein aangekomen. Ze loopt een smal steegje in en zet haar fiets tegen de muur. Ze trekt haar tas onder de snelbinders vandaan en loopt terug naar het monumentale pand op hoek van de steeg.
Ze laat nog eenmaal haar blik over het plein dwalen, maar ziet niemand van haar klas. Ze beklimt de stenen trap aan de voorkant en laat de koperen klopper op de deur vallen.
Sara was al vaker lang het huis gefietst. Het bordje naast de deur viel meteen op.
Na het versturen van de brief, besloot ze een dag later toch ook aan te bellen. Ze had geen idee wat ze moest zeggen.
Gespannen wachtte ze op het moment dat de deur open zou gaan. Een vrouw van ongeveer vijftig jaar met lang zwart haar deed open. Geschrokken keek Sara haar aan. Woorden stokten in haar keel. Haar knieën knikten.
Zwijgend nam de vrouw haar op en wachtte geduldig tot Sara iets zou zeggen.

'Ik zag dat bordje en wilde u iets vragen,' stamelde ze.
'Dat mag.' De stem van de vrouw klonk vriendelijk. 'Wil je binnenkomen?'
Sara staarde naar de vrouw en voelde opnieuw een schok door haar heen gaan. 'Ik... Ik weet niet.'
Opeens voelde ze tranen over haar wangen glijden.
De vrouw maakte een uitnodigend gebaar. 'Kom maar binnen. Ik heb net thee gezet.'
Een minuut later zat ze bij de onbekende vrouw aan tafel en probeerde Sara uit te leggen waarom ze zo geschrokken was.
De vrouw, die ze Franciska mocht noemen, vond deze ontmoeting een wonderlijk toeval.
Wanneer ze de reden van Sara's komst hoort, besluit ze Sara te helpen.
'Mijn oom en tante zullen het niet goed vinden.'
Franciska maakt een gebaar met haar hand. 'Maak je daar maar geen zorgen over.'
Sara kon het nauwelijks bevatten dat ze zo snel iets heeft kunnen regelen. Ze hoefde Franciska weinig uit te leggen.
'Ik ga het doen,' beloofde Franciska.
Dat moment overwoog Sara op te biechten dat ze niemand heeft verteld over de advertentie.
Waarom zou ze Franciska dat moeten vertellen?
Als Sara niet aan zichzelf denkt, wie doet dat dan wel?
Vandaag is ze hier voor de tweede keer.
Het blijft haar geheim.
Ze laat de klopper opnieuw tegen de deur vallen.
Sara luistert naar de geluiden in het huis: naderende voetstappen door de marmeren gang. Ze doet haar ogen dicht en weet dat Franciska nu bijna bij de grote, massieve deur is. Haastig doet ze een stap achterwaarts.

Franciska houdt de deur uitnodigend voor haar open. 'Hoe is het?' vraagt ze belangstellend.
'Ik ben zenuwachtig.'
'Denk je dat je een telefoontje krijgt?'
Sara knikt bevestigend wanneer ze over de drempel stapt. 'n Voorgevoel, denk ik?'
'Positief?'
Sara schokt met haar schouders. 'Ik hoop het.'
'Ik heb de thee al ingeschonken.'
Ze gaan naar de grote woonkeuken.
'Ruikt lekker.'
'Ik heb een cake gebakken. Wil je een plak?'
'Alstublieft.'
Franciska snijdt twee plakken van de cake die nog warm is. Ze gaat tegenover Sara zitten.
Een paar seconden is het stil.
'Heb je het meegenomen?' vraagt Franciska aarzelend.
'Ja.' Sara zet de tas, die naast haar stoel staat, op haar schoot, pakt de envelop en schuift die over de tafel naar Franciska.
'Vind je het moeilijk?'
'Ja en nee.'
'Gevoelens zijn onvoorspelbaar.' Franciska pakt de envelop en haalt de foto eruit. Haar mond zakt een klein stukje open van verbazing. 'Je hebt gelijk.'
'Daarom schrok ik.'
'Ik begrijp het.' Ze legt de foto voor haar op tafel en houdt er haar ogen onafgebroken op gericht. Dan glijdt er een rustige glimlach over haar gezicht. 'De overeenkomst is groot.'
'Maar eigenlijk is alles verschillend,' fluistert Sara.

11

Webcam

'Tá-dá!' Chrissy zwaait de keukendeur open en blijft met haar handen in de zij op de drempel staan.
Robin en Annelies die aan tafel zitten, draaien zich verbaasd om.
'Hoog geëerd publiek! Wij gaan optreden!'
'Echt?' Annelies trekt verrast haar wenkbrauwen omhoog.
'Waar? Wanneer?'
'In de grote danszaal van Roosburch Dans Academie!'
'Met of zonder publiek?'
Chrissy schenkt haar broer een dodelijke blik. 'Met publiek.'
Annelies klapt in haar handen. 'Spannend. Mogen wij ook komen.'
'Mogen?' kreunt Robin. 'We zullen wel moeten.'
'Dat is nog maar de vraag,' antwoordt Chrissy. 'De burgemeester, wethouders en raadsleden komen ook.'
Chrissy legt uit wat de reden is van dit bijzondere optreden.
'Vind je het leuk?' vraagt Annelies.
'Doodeng!'
'Boehoe, kleine Chrissy moet optreden.'
Chrissy pakt een appel van de fruitschaal en dreigt die naar Robin te gooien.
'Je doet de dansacademie!' helpt hij haar herinneren.
'We zijn nog maar net begonnen.'
'Eens moet de eerste keer zijn.'
Chrissy knikt.
Robin staat op om voor zijn zusje thee in te schenken.

'Er is nog iets leuks,' begint Chrissy terwijl ze met haar nagel door een groef van het tafelblad glijdt. 'Ik ga straks lesgeven.'
Robin grijpt zich vast aan het aanrecht. 'Jij?'
'Wat leuk!' reageert Annelies enthousiast. 'Vertel!'
'Bejaarden streetdance?'
Chrissy negeert de flauwe opmerkingen van haar broer. 'Ik help iemand met lesgeven aan een groep jonge kinderen van de bso.'
'Ben je gevraagd?'
'Ja.' Chrissy merkt dat er een blos vanaf haar onderkaak omhoog kruipt.
'Wat een leuke dingen allemaal,' vindt Annelies.
Robin steekt vaderlijk een wijsvinger in de lucht. 'As je je huiswerk maar niet vergeet!'
'Wat is hij lief, hè mam.'
'Hij is een zorgzaam type.'
Lachend kijkt het tweetal naar Robin.
'Als ik er niet was,' grijnst hij stoer.
Chrissy is blij dat er verder geen vragen gesteld worden. Als Robin de naam van Stefan hoort, beginnen de plagerijen pas echt.
Ze heeft nog een half uur, dus gaat ze naar haar kamer. Terwijl haar computer opstart, trekt ze de kastdeur met een zucht open.
Welke kleren zal ze aan doen?
Wat staat leuk?
Ze kijkt naar de grote spiegel en steekt haar tong uit. Het is niet belangrijk wat zij leuk vindt, maar wat Stefan leuk zal vinden.
'Ophouden, Chris!' spreekt ze zichzelf streng toe. 'Het gaat om het dansen. Niet om Stefan.'

Ze kiest voor een baggy broek, omdat die leuk bij hiphop past. Het liefst zou ze gewoon haar paarse spijkerbroek aan doen.
Eerst e-mail checken.
'O, nee,' kreunt ze. Er is een bericht van Marjolein! Juist nu.
Ze klikt het bericht aan.

Aan: Chrissy
Van: Marjolein.

Hallo.

Bedankt voor je e-mail.

Je vraagt mij: Is dat wat je wilt? Geen vriendschap meer?
Die vragen kan ik beter aan jou stellen.
Je hebt Fedor proberen te versieren.
Je hebt een paar dagen niets van je laten horen.
Ik ga er van uit dat jij geen vriendinnen meer wilt zijn.
Als je dat wel wilt, dan hoor ik wel wat je wilt afspreken.

Marjolein.

'Nou ja zeg! Wat denkt ze nou?!' snuift Chrissy verontwaardigd.
Wat is dit nou weer voor een mail. Waar slaat het op? Ze heeft de ruzie zelf veroorzaakt met haar jaloerse gedoe.
Chrissy heeft op Marjoleins verzoek geprobeerd Fedor uit de tent te lokken zodat Marjolein hem daar zogenaamd toevallig tegen zou komen. Dat zij uiteindelijk samen met Fedord een ontsnapt konijn van de kinderboerderij zou vangen, had ze van te voren niet kunnen bedenken.

En dat Marjolein dan ook nog eens langs zou fietsen op het moment dat ze samen met Fedor het konijn vasthield, was helemaal niet te voorspellen.
Marjolein flipte!
Wat moet ze met deze mail?
Marjolein blijft jaloers omdat ze Chrissy samen met Fedor in het park zag.
Chrissy blijft van mening dat de manier waarop Marjolein met haar omgaat, niet kan. Het is oneerlijk.
Wat is verstandig?
Als ze de situaties aan haar ouders uitlegt, zullen ze haar adviseren een gesprek te beginnen. 'Want zoals het nu gaat betekent het het definitieve einde van jullie vriendschap.'
Een gesprek beginnen is vaak zo moeilijk.
Heel ver weg in haar hoofd klinkt een stemmetje dat aldoor vraagt: 'wil je de vriendschap wel houden?'
Ja, eigenlijk wel.
Of, toch niet?
Chrissy klikt op 'antwoorden'.

Aan: Marjolein
Van: Chrissy

Ik heb het nu erg druk met dansen. Over een paar weken heb ik voor het eerst een groot optreden en straks ga lesgeven aan jonge kinderen. Ik wil graag met je praten over wat er nou eigenlijk gebeurd is. Misschien moeten we over een paar weken afspreken.
Wat vind jij?
Groetjes, Chrissy.

Chrissy leest haar mail nog eenmaal over en klikt dan op verzenden. Ze wil het contact niet verbreken, maar heeft andere dingen aan het hoofd die ze belangrijker vindt.
Het antwoordt zal Marjolein niet leuk vinden, dat weet ze nu al. Volgens Marjolein is het Chrissy's schuld, dus verwacht ze allerlei lijmpogingen van haar kant.
Niet dus!
Haar mail is duidelijk.
Ze pakt een spiegeltje uit de la en bestudeert haar gezicht.
Nergens een puistje.
Ze pakt een mascararoller. Hoewel ze het bijna nooit doet, maakt ze haar ogen op.
Het spiegeltje gaat even later met een tevreden glimlach terug in de la.
Er is geen reactie? Wie zegt dat Marjolein nog achter de computer zit?
Als Marjolein haar reactie leest, zal ze verontwaardigd zijn.
De hoofdschuldige is zij.
Verliefde mensen reageren onvoorspelbaar.
Chrissy's telefoon gaat over. Ze kijkt op het schermpje.

Onbekend nummer.

Meestal neemt ze niet op. Nu wel.
'Hallo, met Chrissy.'
'Stefan.'
'Stefan?' Chrissy voelt zich helemaal warm worden. Zijn stem is zo dichtbij.
Hij wil weten of ze nog thuis is.
'Ja.'
'Ik ben al onderweg naar de bso.'
'Waar ben je nu?'

'Over een minuutje ben ik bij het marktplein.'
'Ok, ik zie je zo,' mompelt ze zenuwachtig.
'Je weet waar het is?'
'Ja.'
Chrissy laat de telefoon in haar broekzak glijden en drukt op de link van de webcam die op het marktplein van Roosburch gericht staat. Gespannen wacht ze af totdat het plein op haar scherm verschijnt. Het beeld is duidelijk. Ze weet van welke kant Stefan komt fietsen. Opeens ziet ze rechts in beeld iemand uit een huis komen. Chrissy zoomt in.
Wie is dat?
Sara?!
Boven aan een stenen trap bij een groot herenhuis staat Sara. Tenminste, iemand die veel op haar lijkt. Hé, en daar fietst Stefan. Ze volgt hem zo lang mogelijk. Woow! Hij is ontzettend leuk.
Straks geeft ze samen met hem les aan een groep kinderen.
Chrissy knijpt zichzelf lachend in de arm.
Ze schakelt de computer weer uit en verlaat haar kamer.

12

Vertederend

'Waar is het?' vraagt Annelies.
'Op de Singel.'
Annelies knikt. 'Ik ken het gebouw. Het staat vlakbij twee scholen.'
Chrissy stopt een paar spullen in haar tas en merkt dat ze door haar moeder bekeken (geobserveerd) wordt.
'Wat is er?'
Annelies lacht hoofdschuddend. 'Dat kleine meisje van me, wordt opeens zo groot. Ze zit nog maar net op de dansacademie en gaat nu al les geven. Ik voel me trots!'
Chrissy glimlacht.
'Wil je nog iets te eten mee?'
'Ik blijf niet zo lang.'
'Zeker weten?' Annelies legt de banaan terug op de fruitschaal. 'Op welke manier ga je les geven?'
'Eerst pasjes oefenen en later een begin van een kleine dans maken. Heel simpel.'
'We?'
'Ik ga niet alleen.'
'Een docent van de academie?'
'Iemand van mijn klas,' Chrissy aarzelt, maar als ze ziet dat Robin buiten gehoorsafstand is, praat ze verder. 'Zijn moeder is leidster op de bso.'
Annelies stelt geen vragen meer. Ze vertelt dat ze naar een lezing moet en dus vroeg wil eten. 'Als je laat thuis bent, dan...'
'Warm ik mijn eten wel in de magnetron op!' vult Chrissy aan. Ze ritst haar jas dicht, pakt haar tas en maakt dat ze

wegkomt. Mam heeft iets door, maar gelukkig is ze zo verstandig om verder geen vragen meer te stellen. Robin en haar moeder lijken soms dwars door haar heen te kunnen kijken.
In de hal werpt Chrissy een snelle blik in de spiegel.
Is haar mascara niet uitgelopen?
'Het zijn toch geen jongens van dertien?'
Chrissy draait zich met een ruk om en ziet haar moeder door de kier van de keukendeur gluren. 'Tussen de vier en acht jaar oud,' snauwt ze.
'Je maakt je nooit op.'
Chrissy klapt de deur van de hal nijdig achter zich dicht.
'Het viel me gewoon op,' hoort ze haar moeder verontschuldigend roepen.
Dit haat ze.
Als ze over het tuinpad wegfietst, kijkt ze opzettelijk niet naar het raam waar haar moeder staat.
Staand op de trappers fietst ze in de richting van het stadscentrum.
Op het plein kijkt ze in het rond of er een bekende te zien is.
Zou het Sara geweest zijn die ze op de webcam zag?
Het gezicht van het meisje kon ze niet goed zien. Maar de paarse jas die ze droeg, was dezelfde als Sara heeft.
Chrissy drukt onder het fietsen een hand tegen haar maag om het gefladder van buikvlinders tegen te gaan.
Bah! Het wordt alleen maar erger.
Zou Stefan hetzelfde voelen?
Ze haalt een paar keer diep adem.
Dit wil ze niet.
Waarom heeft ze ja gezegd?
Waarom moest ze hem zonodig helpen met lesgeven?

Chrissy fietst steeds langzamer. Zal ze een sms'je sturen?

Sorry, ik voel me niet fit. Ik kan niet komen.

Nee! Als je A zegt, moet je ook B zeggen.
In de verte ziet ze het gebouw waarin het kinderdagverblijf en de bso gevestigd zijn.
Ze stapt af en loopt over een mooi aangelegd pad naar de omheining.
Stefan komt achter de struiken tevoorschijn! 'Hallo!' begroet hij haar vrolijk. 'Welkom!'
Chrissy voelt zich ongemakkelijk, nu ze onverwachts alleen met hem is.
'De kinderen hebben net buiten gespeeld en eten nu een cracker. Ze weten dat ze zo dansles krijgen.'
'Ben benieuwd hoe het gaat.'
'Goed!' lacht Stefan, terwijl hij haar wijst waar ze de fiets kan stallen.
Chrissy duwt het voorwiel in het rek en haalt het sleuteltje uit het slot. 'Wat gaan we doen?'
'We doen gewoon een paar verschillende pasjes voor. Eerst zonder, daarna met muziek. Heel simpel allemaal.'
Chrissy loopt met hem door de kleurige gang. De speelruimte is aan het eind.
'Het is hier leuk!' vindt Chrissy wanneer ze naar binnenwandelt. 'De kleuren zijn zo vrolijk.'
Langs de smalle wand hangt een klimrek. In een hoek liggen matten.
Op een klein tafeltje in de hoek heeft Stefan de geluidsinstallatie neergezet.
'Welke muziek heb je?'
'Geen echte hiphop.' Hij hurkt voor de geluidinstallatie.

'De muziek moet wel een beetje passen bij jonge kinderen. Ik laat je een stukje horen.'
Chrissy luistert en steekt haar duim op. 'Hier gaan we mee uit ons dak.'
Stefan doet een paar bewegingen voor en vertelt dat hij na een kwartiertje wil proberen om er al een kleine dans van te maken. 'Rond half zes worden vaak de eerste kinderen opgehaald. Ouders kunnen dan even kijken.'
'Wat moet ik doen?'
Stefan kijkt haar verbaasd aan. 'Helpen met het aanleren van de bewegingen. Eerst oefenen we met het groepje, daarna helpen we de kleintjes apart. Anders wordt het chaos.'
'Chaos kan ook leuk zijn.'
Stefan laat nog een paar pasjes zien.
'Dat vind ik moeilijk.'
'Je moet niet zoveel nadenken. Dansen is doen, niet denken.'
Ze gaan terug naar het lokaal aan het begin van de gang. Daar zit een groep van negen kinderen vol spanning te wachten.
Het is stil als ze naast elkaar lopen.
Chrissy kijkt vluchtig opzij.
Zou Stefan zich ook ongemakkelijk voelen?
Een streep zonlicht die door een hoog raam naar binnenvalt, valt over zijn gezicht. Chrissy ziet opeens blonde donshaartjes boven zijn lip.
Het begin van een snor?
Hoe lang duurt het nog dat hij zich moet scheren?
Inwendig moet ze lachen om deze gedachte.
Stefan is lang en gespierd, maar zijn schouders zijn smal en hebben iets kwetsbaars. De brede kaken, geven hem een stoer uiterlijk. Maar als ze in zijn blauwe ogen kijkt, smelt ze weg.

Voor de glanzende rode deur van de bso ruimte blijft Stefan staan. 'Ik zal je eerst voorstellen aan mijn moeder. Ze is nieuwsgierig naar je.'
Ook dat nog!
Chrissy slikt.
'Ben je er klaar voor!'
'Helemaal.'
Hij doet de deur open. Negen paar kinderogen kijken het tweetal aan. Er barst een gejuich los.
'Daar zijn jullie eindelijk. Het wachten duurde lang,' lacht de blonde vrouw die midden tussen de kinderen aan een grote tafel zit. 'Ze willen heel graag dansen.'
'Dit is Chrissy!' vertelt Stefan aan de kinderen. 'Ze is een hele goede danseres.'
De moeder van Stefan geeft Chrissy een hand. 'Leuk dat je er bent. De kinderen zijn nu al enthousiast.'
'Gaan we dansen?!' vraagt een meisje met een dromerige blik. 'Ik zit op ballet.'
'Stom,' mompelt een mollig jongetje.
'Ik wil op breakdance,' kondigt een meisje van zeven aan.
'Dat is nog niet zo makkelijk,' zegt Stefan.
'Komen jullie mee?' vraagt Stefans moeder. 'Dan gaan we naar het speellokaal.'
Een paar minuten later staan de kinderen verspreid door het speellokaal.
'We gaan eerst een warming up doen,' vertelt Stefan. 'Want als je gaat dansen, gebruik je allerlei spieren van je lichaam. Die moeten eerst warm worden. Begin maar met huppelen.'
De kinderen doen meteen wat er gevraagd wordt. Stefan geeft steeds andere opdrachten en dat vinden ze heel interessant.

'Wil jij met de eerste beweging beginnen?' vraagt Stefan. 'Die hoofdbeweging. Dat is lekker brutaal en stoer.'
Chrissy knikt en gaat voor de groep staan. 'We gaan nu een paar bewegingen leren. Als we dat een klein beetje kunnen, maken we daar straks een dans van. Kan iedereen tot acht tellen?'
'Natuurlijk!' roepen de kinderen verontwaardigd.
'We gaan acht korte bewegingen met het hoofd maken. Ik doe het eerst voor. Ik kijk eerst naar boven. In vier tellen draai ik mijn hoofd steeds iets verder. Op de vierde tel moet het hoofd naar rechts gedraaid zijn. Kijk maar.' Chrissy doet het langzaam voor. 'Diezelfde hoofdbeweging maak ik nog een keer, maar dan houd ik mijn hoofd naar beneden gericht. Het is moeilijk als ik het uitleg. Ik ga het voordoen en doe een hand boven mijn ogen. Alsof ik last heb van de zon.'
'Net als een indiaan,' zegt een jongetje.
De kinderen oefenen. Het is moeilijk, omdat ze korte draaibewegingen in acht tellen moeten maken.
'Doe maar net alsof je op vier plekken iets op de grond én in de lucht zoekt. Zoeken, zoeken, zoeken, zoeken!' roept ze.
Stefan gaat naast Chrissy staan. 'Niet te lang oefenen,' zegt hij. 'Dat is voor de kleintjes zo frustrerend. Zet de muziek maar aan. Daarna leer ik een nieuwe beweging aan.'
Wanneer ze op de muziek oefenen, stralen de kinderen van top tot teen. Niemand doet het goed, maar het plezier is groot.
Stefan knipoogt naar Chrissy.
Hij leert de armbeweging aan. Daarbij moeten ze hun armen heel stoer naar voren strekken en net doen alsof ze een autostuur vasthebben. 'Draai maar rond, maar houd je arm naar voren gestrekt.'

Wanneer Chrissy aan de beurt is, oefent ze de pose. Ze legt uit dat wanneer een fotograaf een foto maakt, je een bepaalde houding aanneemt. Dat wordt poseren genoemd. 'Jullie mogen op je plek blijven en allerlei gekke bewegingen maken. Als ik de muziek stop, dan blijf je in die pose staan.'
Het dansen is een feest.
Opeens huilt een meisje van vier. Stefan gaat naar haar toe en legt een arm om haar heen.
'Heb je je pijn gedaan?'
Het meisje legt haar hoofd op Stefans schouder. 'Ik doe alles stom. Ik kan niet dansen.'
'Jij kunt wel dansen. Dat heb ik gezien.'
Verdrietig schudt ze haar hoofd.
'Zullen we samen dansen?'
Het meisje lacht door haar tranen heen. Dat wil ze wel.
Chrissy kijkt vol vertedering toe. Wat gaat hij lief met kinderen om.
'Start de muziek!' roept Stefan als hij het meisje van de grond tilt.
'Ik kan ook niet dansen,' fluistert Chrissy in Stefans oor.
'Jammer dan!' Stefan schiet in de lach. 'Ik kan jou niet tillen.'

13

Teleurstellingen

'Zo'n stoer joch...'
Verwonderd kijkt Chrissy opzij. Ze heeft niet gemerkt dat de moeder van Stefan naast haar is komen staan. 'Stefan?'
'Wie anders. Toen hij met dansen begonnen, met hiphop en zo, vond ik hem ontzettend stoer.'
'Dat hoort bij die stijl.'
'Stefan is een grote stoere jongen met een klein hartje. Dat zie je wel.'
'Kinderen zijn dol op hem,' beaamt Chrissy.
Wil zijn moeder haar uithoren?
Wil ze weten of ze verliefd op elkaar zijn?
Zou ze Elmy ook ondervraagd hebben?
Stefans moeder maakt aanstalten om naar de andere kant van het speellokaal te lopen. 'Toch jammer.'
Chrissy kijkt haar niet begrijpend aan.
'Dat hij jou niet kan tillen!' Grinnikend loopt ze weg.
Chrissy krijgt een kleur. Het lijkt wel alsof iedereen ziet dat ze een beetje verliefd is?
Kan dat, een beetje verliefd zijn?'
'Doe mij maar na!' Stefan geeft de kinderen een paar duidelijke aanwijzingen voordat hij de muziek start.
Chrissy staat met de rug naar de groep, zodat ze haar na kunnen doen. Ze begint met zijwaartse passen. 'Ennnn, een, twee, drie, vier vijf, zes, zeven, acht!' telt ze luid, zodat de kinderen haar boven de muziek uit horen.
De kinderen dansen enthousiast. Sommigen botsen bijna tegen elkaar aan, omdat ze aan zoveel dingen tegelijk moeten denken.

Stefans moeder maakt foto's.
De eerste ouders komen binnen, maar niemand wil mee naar huis.
'Ik blijf, want ik wil dansen,' zegt een jochie van zeven en kruist demonstratief zijn armen voor zijn borst.
'Over tien minuten geven wij een extra voorstelling!' belooft Stefan.
De kinderen vinden het spannend dat er publiek is.
Chrissy zet samen met Stefans moeder twee banken langs de kant, waar de ouders op kunnen zitten.
Ondertussen vertelt zij met trots aan de ouders dat Stefan haar zoon is en sinds een paar weken op de dansacademie zit. 'Chrissy is zijn klasgenoot. Twee andere groepen van de bso hebben net als deze kinderen een workshop gehad.'
'Zitten jullie op dé Dans Academie Roosburch?' vraagt een jonge moeder geïnteresseerd.
Chrissy en Stefan knikken tegelijk.
'Jullie zijn nog zo jong.'
'Dit is een nieuwe opleiding,' legt Chrissy uit.
'Nieuw?'
'We zitten op de vooropleiding. We kunnen gewoon ons Havo of VWO diploma halen. We volgen niet alle lessen. In plaats van sport, handvaardigheid en dergelijke, krijgen wij danslessen. Als voorbereiding op de echte dansopleiding.'
'Ballet?'
'Allerlei stijlen.'
'Wat gaaf! Het was mijn droom om op na het behalen van mijn Havo diploma naar de dansacademie te gaan.'
'Niet gedaan?'
'Ze zagen het niet zitten met mij. Ze zijn streng. Ik vind het in ieder geval heel erg leuk dat jullie hier op de bso een workshop hebben gegeven. Van dansen word je blij.'

'Jullie moeten maar vaker komen,' zegt een vader die met zijn rug tegen de muur geleund staat.
'We hebben niet zoveel vrije tijd. Over een paar weken moeten we zelf optreden,' vertelt Stefan.
'Ze zitten op Dans Academie Roosburch,' zegt de jonge vrouw. 'In de talentenklas.'
Chrissy voelt zich supertrots.
Ze zit nog maar een paar weken op de academie en het is helemaal niet zeker of ze mag blijven. Er zal hard gewerkt moeten worden. Docenten hebben verteld dat de opleiding zwaar is en dat je er met talent alleen niet zult komen. Wanneer Chrissy aan het eerste evaluatiemoment denkt, schiet de stress door haar lijf.
De bso kinderen zitten nu in een kring op de grond.
Als de meeste ouders binnen zijn, mogen ze op hun plek in het lokaal gaan staan.
De moeder van Stefan gaat de voorstelling officieel aankondigen.
'Dames en heren, vaders en moeders. Wij heten u van harte welkom op de bso. U zult genieten van een prachtige dansvoorstelling. Chrissy van Dungen en mijn zoon Stefan zijn leerlingen van Dans Academie Roosburch. Zij hebben vanmiddag geoefend met uw kinderen. Dat ze het leuk vonden, zult u zelf kunnen zien. Het was een geweldige middag! Voordat de voorstelling begint, wil ik graag een groot applaus voor Chrissy en Stefan!'
Het tweetal lacht verlegen als iedereen klapt.
'Nu gaan we beginnen!' lacht Stefan.
Chrissy voelt een tinteling door haar heen gaan, als ze stiekem naar Stefan kijkt.
De manier waarop hij de leiding neemt, is zo volwassen. De kinderen vinden hem cool.

Hij wordt steeds leuker, liever, leuker, liever, leuker en liever.
Chrissy haalt diep adem.
Als Marjolein dit wist...
De voorstelling begint.
De kinderen doen ontzettend hun best en kijken goed naar Chrissy en Stefan die voor hen staan.
De ouders zijn onder de indruk en vinden het geweldig. Ze klappen heel lang.
De kinderen maken een buiging en, omdat de ouders het graag willen, wordt de dans nog eenmaal gedanst.
Stefans moeder maakt een heleboel foto's.
Als de kinderen uiteindelijk met veel moeite mee naar huis gaan, bedanken de ouders Chrissy en Stefan voor de leuke middag. Ze wensen het tweetal veel succes op de dansacademie en hopen dat er nog eens dansles op de bso gegeven wordt.
Stefans moeder gaat naar het bso lokaal om op te ruimen en de afwas te doen. Chrissy en Stefan schuiven de banken in het speellokaal weer aan de kant.
'Hoe vond je het?'
'Heerlijk!' antwoordt Chrissy spontaan.
'Vaker doen?'
'Misschien.' Chrissy schokschoudert. Ze zou wel willen, maar moet zelf ook oefenen. En, dan is er ook nog genoeg huiswerk te doen. 'Vond Elmy het ook leuk om te doen?'
'Ja, maar ze heeft niet veel tijd. Ze moet thuis vaak op haar jongere broertje en zusje passen.'
Stefan neemt de geluidsinstallatie mee.
Chrissy trekt de deur achter hem dicht.
'Ik vond het met jou het leukst.'
Huh? Chrissy's hart slaat een slag over. Hoorde ze dat

goed? Vond hij het lesgeven met haar het leukst? Ze durft niet te vragen om zijn woorden te herhalen.
Samen met Stefans moeder verlaten ze het gebouw.
Stefan zet de geluidsinstallatie bij zijn moeder in de auto.
Chrissy wacht bij de fietsenstalling, waar Stefans fiets ook staat.
Ze staan wat onwennig tegenover elkaar.
Waarom gaat alles zo stuntelig als ze alleen met elkaar zijn?
'Nog jong hiphop talent gezien?' vraagt hij.
'Ik niet.' Chrissy moet lachen. Het was voor de kinderen best moeilijk. Maar ze hebben plezier gehad en daar gaat het om.
'Wat eten jullie?'
'Weet ik niet. Dat is nog een verrassing.'
'Wij pannenkoeken.'
'Lekker.'
'Met appel en rozijnen.'
'Je maakt me jaloers.'
Ze fietsen over de speelplaats naar de straat.
Stefans telefoon gaat over.
'Mijn moeder,' mompelt hij. 'Hallo, mam. Mis je me nu al?'
Chrissy hoort de stem van zijn moeder. Ze verstaat niet woordelijk wat ze zegt, maar begrijpt wel dat ze voorstelt om Chrissy uit te nodigen om pannenkoeken bij hen te eten.
'Ik bak er zo een paar pannenkoeken bij,' hoort ze haar zeggen.
'Je ziet het wel. Tot zo,' antwoordt hij kortaf en verbreekt de verbinding.
'Miste ze jou?'
Hij schudt het hoofd.

Zwijgend fietsen ze verder.
Waarom nodigt hij haar niet uit?
Durft hij niet?
Chrissy hoopt dat hij dat wel zal doen, maar het enige dat Stefan zegt wanneer ze beiden een andere kant op moeten, is dat hij straks de eerste de digitale foto's naar haar zal opsturen.
'Leuk!'
'Tot morgen!'
'Tot morgen,' mompelt ze.
Het huilen staat haar nader dan het lachen.
Wat een teleurstelling!
Ze begrijpt niks van hem.
Wanneer ze kwart voor zeven thuiskomt, wacht haar vader haar in de keuken op. Hij heeft gehoord dat ze les heeft gegeven en vindt dat geweldig.
Het kost Chrissy moeite om enthousiast verslag te doen.
Hij warmt het eten voor Chrissy op en blijft gezellig bij haar aan tafel zitten.
Ze is blij als haar vader een telefoontje krijgt. Haastig gaat ze naar haar kamer.
Eindelijk alleen!
Hé, er is mailtje van Stefan met foto's. Hij bedankt haar voor de leuke middag.
Nieuwsgierig bekijkt Chrissy de foto's. Er is een mooie dansfoto bij waarop Stefan en Chrissy naar elkaar kijken.
Maar ja, wat moet ze er mee?
Hij vraagt haar niet eens mee naar zijn huis!
Chrissy mailt Stefan niet terug. Ze heeft een beter idee.
De foto waarop ze alleen met hem staat, stuurt ze in een opwelling naar Marjolein.
Dat had ze niet moeten doen, want om kwart over acht

stuurt Marjolein een venijnige mail terug.
De tweede teleurstelling van vandaag.

Aan: Chrissy
Van: Marjolein

Nu begrijp ik waarom je geen tijd heb om te praten.
Veel geluk met dat balletjochie!

Marjolein.

14

Vals kreng

Verbijsterd staart Chrissy naar het scherm.

Veel geluk met dat balletjochie!
Veel geluk met dat balletjochie!
Veel geluk met dat balletjochie!
Veel geluk met dat balletjochie!

'Vals kreng!' sist ze. 'Ik heb het gehad. Ik ben klaar met je!'
Chrissy drukt op 'antwoorden'. Terwijl haar vingers de eerste letters tikken, vullen haar ogen zich met tranen.
Ook dat nog.
Ze kan niets meer zien. Uit de la haalt ze een papieren zakdoekje waarmee ze haar wangen droog wrijft.
Balletjochie!
Ze kent Stefan niet eens!
Chrissy snuit haar neus en gooit het zakdoekje daarna met een boog in de prullenbak.
Ze kijkt naar de klok.
Volgens haar ouders is het niet goed om ruzies via de mail te bespreken.
'Je moet elkaar in de ogen kijken, elkaars stem kunnen horen. De intonaties en gebaren... Dat is allemaal belangrijk tijdens een gesprek.'
Marjolein denkt toch niet dat ze de moeite neemt om ook nog maar ergens met haar over te praten?
Wat een verspilling van tijd en energie!
Ze zou Marjolein kunnen verrassen met een onve
bezoekje.

Hoe langer ze erover nadenkt, hoe meer ze voor dat plan voelt.
Marjolein verwacht dat namelijk niet van haar.
Chrissy ijsbeert door haar kamer.
Het liefst gaat ze geen confrontatie aan. Marjolein heeft laten zien wat ze waard is en tot Chrissy's spijt zoekt ze de oorzaak niet bij haar zelf. Dat vindt Chrissy moeilijk.

Veel geluk met dat balletjochie!

De zin hamert door haar hoofd.
Het doet pijn dat ze zich zo belachelijk over Stefan uitlaat.
Chrissy schakelt haar computer uit en loopt de trap af.
Haar vader zit in de werkkamer. Ze klopt zachtjes op de deur.
'Ja?'
Chrissy stapt de kamer binnen en gaat op de rand van zijn bureau zitten. Ze tuurt naar haar versleten gympen.
Peter van Dungen wacht rustig af totdat zijn dochter begint te praten. Hij ziet aan Chrissy's gezicht dat haar iets dwars zit.
'Ik heb er geen zin meer in,' begint Chrissy geëmotioneerd. 'Je weet dat ik ruzie heb met Marjolein.'
Peter knikt bevestigend.
'Het één groot stompzinnig misverstand.'
Hij knikt opnieuw.
'Zij vindt van niet.'
'Jaloerse mensen meten met andere maten.'
'Dat is duidelijk,' zucht Chrissy.
'Heb je al met haar gepraat?'
'Ik heb het druk met dansen.'
'Dat schiet niet op.'

'Eerst had zij geen tijd.'
'Hoe belangrijk is deze vriendschap voor je?'
Chrissy laat een spottend geluid horen. Dan haalt ze diep adem en brengt haar vader van de laatste ontwikkelingen op de hoogte.
'Jaloers,' concludeert hij.
'Ik heb geen verkering met Stefan!' benadrukt ze fel.
'Nee, maar je doet hele leuke dingen met een jongen die goed kan dansen. Zij voelt zich door Fedor afgewezen en ondertussen heb jij het leuk. Dat is moeilijk voor haar.'
'Zo ga je toch niet met je vriendin om?'
'Iemand die verteerd wordt door jaloezie, is niet redelijk.'
'Dat ze me veel geluk wenst met dat balletjochie...'
'Boos?'
'Razend,' glimlacht ze.
'Jij wilt dat balletjochie verdedigen!' Hij kijkt zijn dochter plagend aan.
'Daar gaat het niet om.'
'Heb je een zwak voor hem?'
'Pap!' Ze laat zich van het bureaublad glijden.
'Je mag iemand aardig vinden. Niks mis mee.'
'Daar gaat het niet om!' herhaalt ze snibbig.
'Bel je Marjolein op?'
Ze blijft aarzelend in de deuropening staan. 'Ik ga op de fiets naar haar toe.'
'Nu? Bel je niet eerst op om te zeggen dat je onderweg bent?'
Vastberaden schudt Chrissy het hoofd. 'Dan verzint ze een smoesje.'
Peter zwijgt.
'Niet goed?'
'Denk goed na met welke bedoeling je naar haar toe gaat.'

'Wat bedoel je?'
'Wil je haar kwetsen?'
''t Interesseert me niet wat zij denkt of voelt.'
'Probeer uit te zoeken wat jou stoort.'
'Hoe ze met mij omgaat! Dat ze mij niet vertrouwt en mij niet serieus neemt.'
'Oké, oké,' sust hij. 'Voldoende redenen voor een gesprek.'
'Ik vertel dat ik haar vriendin niet meer wil zijn. Thats it!'
'Soms gaan de dingen anders dan je wilt.'
'Alsof ik dat niet weet.' Chrissy trekt de deur dicht. Ze pakt haar jas, ondanks dat het ergens in haar buik toch begint te knagen. 'Tot straks!' roept ze.
'Ben je voor het donker thuis?'
'Denk het wel.'
Ze haalt haar fiets uit de schuur en stapt met tegenzin op.
Is het wel een goed plan?
Wilde haar vader haar ergens voor waarschuwen?
Boeiend!
Ze wil niks meer met Marjolein te maken hebben.
Wanneer Chrissy bij het stadscentrum is, ziet ze een man met een hond. Het is de broer van Barbel Schmidt.
Zij is een beroemde Duitse danseres en gastdocent geweest op de dansacademie. Chrissy en Sara ontdekten dat ze een groot geheim had. Vorige week is Barbel onverwachts naar Duitsland terug gegaan wegens familieomstandigheden. Niemand weet of ze terugkomt. Chrissy en Sara zijn op de hoogte van de achtergronden, maar praten er met niemand over . De man herkent haar ook.
Hij groet.
Chrissy stapt af. 'Hoe is het?'
'Er is niets veranderd. Helaas.'
'Ze heeft geen contact opgenomen?' Chrissy perst haar

lippen op elkaar. 'Wat jammer.'
'Is op de dansacademie toevallig bekend wanneer ze terug komt?'
Chrissy schudt haar hoofd. 'Als ik iets hoor, zal ik het u laten weten.'
'Ik denk dat ze terugkomt.'
'Ik hoop het voor u.'
De Nederlandse familie van Barbel Schmidt heeft veel verdriet om het verbroken contact. Er zijn dingen gebeurd waardoor de verstandhouding verslechterd is. Uiteindelijk verdween Barbel en heeft de familie nooit meer iets van haar vernomen. Totdat ze vorige week in Roosburch gesignaleerd werd.
Hoe alles toch fout gaan door misverstanden.
Als vanzelfsprekend gaan haar gedachten naar de situatie tussen haar en Marjolein. Het is niet te vergelijken, toch is er een overeenkomst. Tja, mensen maken bijna altijd problemen, omdat het moeilijk is een ander te begrijpen.
Chrissy fietst dwars over het marktplein.
Opeens remt ze af en kijkt zoekend rond.
Uit welk huis kwam dat meisje met die paarse jas?
Ze kan het zich niet meer herinneren.
Het knagen wordt erger.
Chrissy fietst snel door. Ze wil het achter de rug hebben.
Als ze de straat in fiets waar Marjolein woont, verdwijnt alle kracht uit haar benen en komt ze geen meter meer vooruit.
Ze stapt af.
Het huis van Marjolein kan ze zien.
'Kom op,' fluistert ze bemoedigend tegen zichzelf.
Langzaam en met lood in haar schoenen nadert ze de woning.
Beneden in de kamer is niemand te zien.
Zou Marjolein op haar kamer zijn?

Opeens slaat de twijfel toe. Zal ze net zoals anders door de achterdeur naar binnengaan of aanbellen?
'He, hallo Chrissy! Lang niet gezien!'
Ze draait zich met een ruk om en kijkt de vader van Marjolein recht in het gezicht. 'Hallo!'
'Kom je voor Marjolein?' vraagt hij vriendelijk.
Ze knikt.
'Ze is er niet.'
'Jammer.'
'Ze heeft het ons verteld.'
'Wat?'
'Over die ruzie. Meidengekibbel!' Hij glimlacht.
'Ja, vervelend.'
'Voor haar was het natuurlijk niet leuk dat je er met haar vriendje van door ging.'
Er gaat een golf van verontwaardiging door Chrissy's lijf. Heeft ze dat verteld?
Chrissy draait haar fiets om. 'Ik hoop dat ze de waarheid durft te vertellen,' mompelt ze.
Met tranen in haar ogen van woede fietst ze rechtstreeks terug naar huis.

15

Ruzie?

Chrissy loopt met het hoofd naar beneden door de stille gang van de dansacademie. Ze is ruim een half uur te vroeg.
Vanochtend om zes uur zat ze in de woonkamer tv te kijken. Slapen lukte niet echt. De ruzie met Marjolein kan ze niet loslaten.
Wat is er met Marjolein gebeurd?
Waarom is ze zo veranderd?
Waarom liegt ze?
Vannacht heeft Chrissy in gedachten wel duizend mails gestuurd; steeds bozer!
Toen ze gisteren thuis kwam, stelde haar vader geen vragen. Hij moet iets gemerkt hebben, maar liet haar met rust.
'Ik ga vroeg naar school,' zei ze vanochtend toen ze staand bij het aanrecht een krentenbol at. 'Dan kan ik een half uur extra trainen.'
De conciërge die ze aan het begin van de gang tegenkwam, groette haar vriendelijk. Hij vond het niet vreemd dat ze zo vroeg aanwezig was. Dat gebeurt wel vaker. De deuren van de academie gaan meestal om half acht open.
Iedereen mag gebruik maken van de oefenruimte. Wel is het gebruikelijk dat je minstens een dag van tevoren aangeeft op welk tijdstip je wilt trainen. Dit om te voorkomen dat er teveel mensen tegelijk komen. Maar je kunt altijd een kijkje nemen. Is er plek, dan kun je trainen.
Chrissy en Sara zijn een paar keer samen in de oefenzaal geweest. Nu is ze alleen. Dat maakt alles anders.
Als ze de ruimte nadert hoort ze geluiden.

Er is iemand!
Chrissy aarzelt. Ze weet niet wie er binnen in.
Zal ze naar de kantine gaan?
Ze loopt naar de kleedkamer en duwt de deur geruisloos open.
In de hoek hangt een paarse jas.
Is Sara in de oefenruimte?!
Ze loopt verder. Naast de zwarte sporttas op de bank staat de rugzak van Sara.
Waarom heeft Sara niet verteld dat ze voor schooltijd oefent?
Dat hoeft ze toch niet geheim te houden?
Ze duwt de deurkruk langzaam naar beneden en gluurt door de kier naar binnen.
Sara is nergens te zien, toch moet ze binnen zijn.
Chrissy duwt de deur verder open.
'Hé!' Sara ziet Chrissy in de spiegel.
'Wat ben je hier vroeg.'
'Jij ook,' antwoordt Sara.
De spanning is voelbaar tussen hen.
Sara maakt met haar arm een weids gebaar. 'Ik hoef de zaal met niemand te delen.'
'Helaas! Met mij!'
'Ga je trainen?' Sara doet haar best om niets van haar verbazing te laten merken.
Chrissy knikt en laat de rugzak van haar schouders glijden.
'Ik kleed me even om.'
Wanneer ze twee minuten later de oefenzaal binnenstapt, is Sara geconcentreerd aan het werk en schenkt geen enkele aandacht aan Chrissy. Op die manier probeert ze duidelijk te maken dat ze niet gestoord wil worden.
Het verwondert Chrissy dat Sara allerlei balletoefeningen aan de barre doet.

In gedachten hoort Chrissy haar balletjuf van vroeger praten.
'Denk aan je houding! Buik intrekken. Rechte rug en de schouders naar achteren. Eerste positie!'
De eerste positie vond ze makkelijk. Je moest met je benen naast elkaar staan en de voeten naar buiten draaien.
Juf zei altijd: 'Kastje open.'
Dat betekende dat je je voeten naar buiten moest draaien en de knieën tegen elkaar houden.
'En kastje weer dicht.'
Daarna kwam de tweede positie. Een vervolg op de vorige beweging waarbij de voeten tweemaal verplaatst moesten worden. Vervolgens stak je je rechterbeen naar voren met gestrekte voet. De tenen mochten net niet de grond raken.
'Even voelen of het water koud is!' riep ze.
Bij de derde positie zette je de ene voet dwars en de hak van de andere voet in het holletje.
'Jij en ballet?'
Sara kijkt geïrriteerd op. 'Dat zie je toch?'
'Hoe dat zo?'
'Wat denk je? Ik moet mijn techniek verbeteren!'
Chrissy knikt en houdt haar mond.
Sara heeft talent, maar haar techniek laat te wensen over. Ze mist een goede ballet basis. Dat hoeft geen bezwaar te zijn, maar Barbel Schmidt heeft, kort voordat ze onverwachts naar Duitsland terugging, gezegd dat het goed zou zijn dat ze alle basisoefeningen van ballet zou gaan trainen. Dat is goed voor de techniek.
'Is het de eerste keer dat je hier in je eentje oefent?' De vraag is gesteld, voordat Chrissy er erg in heeft.
'Hallo! Ik wil oefenen.'
'Ik mag toch wel een vraag stellen?'

'Laat me met rust.'
'Sorry.'
'Sorry!' herhaalt Sara spottend. 'Ik kom hier niet om uit mijn neus te peuteren.'
'Waarom heb je niet verteld dat je extra oefent?'
'Boeit dat jou?!'
Chrissy voelt het bloed uit haar gezicht wegtrekken.
Wat gebeurt er nu weer?
Ze kan er gewoon niet meer tegen. Stefan die haar niet uitnodigt, Marjolein die haar laat vallen en nu begint Sara ook al!
Als ze hier blijft staan, gaat ze huilen.
'Tot straks,' groet ze met trillende stem.
De deur van de kleedkamer trekt ze nadrukkelijk in het slot.
Met de handen voor het gezicht geslagen, zit ze een paar minuten op de bank. Dan spoelt ze haar gezicht af met koud water en loopt in haar danskleren naar de danszaal, waar over een kwartier de les begint.
Iemand tikt haar zacht op de schouder.
Het is Stefan.
'Slecht geslapen?'
'Kun je dat zien?' probeert ze luchtig.
'Je ziet er moe uit.'
'Klopt.'
'Is er iets?'
Chrissy neemt hem fronsend op. 'Niet echt, hoezo?'
Hij haalt zijn schouders op.
Samen lopen ze verder naar de danszaal.
Achter hen klinken opgewekte stemmen van Quinty, Denise, Amarins, Elmy en Rachid.
'Toen we gisteren terugfietsten, kreeg ik een telefoontje van

mijn moeder. Ze vroeg of ik je wilde uitnodigen om bij ons pannenkoeken te eten.'
Chrissy kijkt vluchtig opzij. 'Dat heb je niet gedaan.'
'Had je dat gewild?'
'Natuurlijk! Ik vind pannenkoeken heerlijk.'
'Dus?'
'Had ik graag mee gewild.'
Stefan klemt zijn kaken op elkaar. 'Ik durfde het niet te vragen.'
'O, waarom niet?!'
'Ik dacht dat je het stom zou vinden.'
'Verkeerd gedacht.' Ze glimlacht.
'Een andere keer?'
'Als het van jouw moeder mag.'
'Geen probleem. Ze vindt het gezellig als er eters zijn.'
Chrissy voelt zich al beter nu Stefan eerlijk vertelt dat hij het niet durfde te vragen.
'Toch snap ik het niet,' mompelt ze. 'Waarom durfde je het niet te vragen? Zijn haar pannenkoeken niet lekker?'
Stefan lacht. 'Nee hoor. Juist heel lekker! Maar…' Hij pauzeert een kort moment en zoekt naar woorden. 'Ik dacht dat je het misschien raar vond dat ik je mee zou vragen. Zo goed kennen we elkaar niet. Ik wist gewoon niet wat je zou denken.'
Vijfhonderd vlinders fladderen zachtjes door Chrissy's buik.
Dat is het dus! Hij wil niets forceren.
Betekent dat, dat hij ook verliefd is?
Hoezo, ook?
Is zij het dan?
O, wat voelt alles verwarrend.
Bij de kleedkamerdeur blijft ze nog even met Stefan praten.

Ze vertelt dat Sara in haar eentje aan het oefenen is.
'Goed van haar.'
'Ze reageerde pissig toen ik binnenkwam.'
'Hoe kan dat nou?' grijnst hij.
'Snap het ook niet.'
'Jij hebt je danskleren al aan.'
'Ik was vroeg en wilde ook trainen.'
Stefan fronst zijn voorhoofd. 'Vond ze dat niet leuk?'
'Volgens mij niet.' Ze slaakt een diepe zucht.
Stefan geeft haar een speelse duw tegen haar bovenarm. Hij zwaait zijn tas over zijn schouder en loopt naar de jongenskleedkamer.
Uit de danszaal klinkt muziek. Leine heeft een cd opgezet. Chrissy is als eerste in de zaal en gaat stilletjes op een bank zitten.
Ze hoopt dat ze binnenkort bij Stefan mag eten...
Sara komt als laatste de zaal binnen. Na een korte aarzeling, besluit ze naast Chrissy te gaan zitten.
'Sorry,' zegt ze zacht.
Chrissy zwijgt.
'Je haalde me uit mijn concentratie.'
'Sorry,' antwoordt Chrissy spottend.
'Je bleef doorpraten.'
'Sorry.'
'Ik wil geen ruzie,' zucht Sara.
'Dan moet je vooral zo doen.'
'Ik zei toch sorry.'
'Ja, ik ook.'
Zwijgend zitten ze naast elkaar.

16

Zonder woorden

Het dansen gaat voor geen meter. Chrissy heeft het gevoel dat haar voeten van steen zijn.
Sara die achter haar staat, schiet onverwachts in de lach omdat Chrissy een verkeerde stap wil corrigeren. Dat gaat mis.
Chrissy kijkt boos achterom.
'Sorry,' verontschuldigt Sara zich.
'Uitlachen?'
'Ik lach je niet uit.'
Leine merkt dat Chrissy niet lekker in haar vel zit. 'Het gaat vandaag niet lekker, hè?'
'Niet echt, nee.'
'Je denkt te veel. Dansen vanuit het hoofd gaat niet.'
'Weet ik,' mompelt Chrissy.
Waar is de blijheid?
Waarom voelt ze zich niet één met de muziek.
Het lijkt alsof alles haar afgepakt wordt, buiten haar schuld om.

Ruzie met Marjolein.
Gedoe met Sara.
Dansen lukt niet.

In de pauze gaat Leine opnieuw naar Chrissy. 'Zijn er problemen?'
'Nee.'
Leine neemt haar zwijgend op.
'Echt niet,' herhaalt Chrissy.

'Je bent nog steeds in je hoofd bezig.'
Chrissy glimlacht.
'Je begrijpt wat ik bedoel.'
'Mm,' beaamt Chrissy.
'Blijf niet te lang met problemen rondlopen.' Leine strijkt even over Chrissy bovenarm en loopt dan naar de bank waar haar flesje water staat.
Dat gedoe met Marjolein lost zich niet op. Dat weet ze nu al.
Sara doet ook anders, dat geeft haar een ongemakkelijk gevoel. Alsof ze ergens buiten gehouden wordt.
In het begin hield ze Sara op afstand. Nu is dat omgedraaid.
Chrissy ziet dat Sara tussen Coen en Stefan op de grond zit.
Ze lachen.
Opeens kijkt Stefan in haar richting. Ze voelt zich betrapt en wendt haar blik af. Straks denkt hij dat ze jaloers is omdat hij bij Sara zit.
Zou hij dat denken?
Nee! Waarom zou die gedachte in hem opkomen?
Stefan heeft geen verkering met Chrissy. En, al zouden ze verkering hebben, dan maakt het toch niet uit dat hij gezellig met een ander meisje zit te kletsen? Moet kunnen, toch?
Chrissy kijkt opnieuw in zijn richting.
Ze zitten wel heel dicht bij elkaar.
Plotseling staat Sara op en loopt snel naar de kleedkamer.
Na een aarzeling, volgt Chrissy. Misschien is dit een goed moment om te praten over hoe het vanochtend tussen hen ging. Ze wil van dat vervelende gevoel af.
Nietsvermoedend stapt Chrissy de kleedkamer binnen.

Sara staat met haar rug naar de deur en merkt haar binnenkomst niet op.
Roerloos blijft ze op de drempel staan.
Wat doet Sara?
Belt ze iemand op of leest ze een bericht?
Voorzichtig doet Chrissy een stap achterwaarts en stelt zich verdekt achter de deur op.
Het blijft stil.
Chrissy gluurt tussen de kier door de kleedkamer in.
'Wow,' fluistert Sara en legt haar hoofd achterover in de nek en laat het nieuws met gesloten ogen op haar inwerken. Dan kijkt ze opnieuw op het scherm van haar mobieltje.
Chrissy begrijpt niet wat er aan de hand is. Nieuwsgierig duwt ze de deur open. 'Goed nieuws?'
'Jij.' Sara opent haar mond, maar bedenkt zich.
'Niet zo kribbig,' grapt Chrissy.
'Je liet me schrikken.'
'Ik doe gewoon de deur open.'
'Gewoon,' mompelt Sara.
'Gaat wel lekker zo.'
'Moet je niet bij mij wezen.'
'Nee?'
'Vanochtend wilde ik trainen. Geen vragen beantwoorden. Dat heb ik tegen je gezegd. Als je daar niet tegen kunt, heb jíj een probleem. Ik niet.'
'Waarom doe je zo?'
'Ja, wat?' Sara ergert zich steeds meer.
'Zo pissig!'
'Ik heb andere dingen aan mijn hoofd.'
'Dacht ik al.'
Sara duwt haar mobiele telefoon onderin haar sporttas. 'Ik ga naar de zaal.'

Chrissy loopt mee. 'Ik heb geen zin in ruzie.'
'Ik ook niet.'
'Ga vanmiddag met me mee naar huis. Om samen te oefenen of huiswerk te maken.'
Sara houdt haar pas in. 'Ik kan deze week niet. Dat heb ik verteld.'
'Zullen we in het weekend afspreken?'
Sara schudt resoluut haar hoofd.
'Niet?'
'Ik spreek even niets af.'
Chrissy knikt teleurgesteld.
Ze stappen de zaal binnen.
'Ben je verliefd?'
Sara schiet in de lach. 'Waar zie je me voor aan?'
'Je doet anders.'
'O, niet dat ik weet.' Sara versnelt haar pas en gaat op de bank naast Quinty zitten.
Ze houdt iets verborgen.
Lars stapt de danszaal binnen en houdt een cd omhoog.
'Ik heb nog niets verteld,' deelt Leine mee.
'Doe ik wel!' Lars pakt een stoel en neemt achterstevoren plaats.
De leerlingen van dansklas 1D kijken elkaar verwonderd aan.
'Ik heb verschillende muzieknummers bij me. Jullie weten dat we over een paar weken een voorstelling gaan geven. Wij, de dansdocenten, hebben gisteren tijdens de vergadering besloten dat we niet kiezen voor één bepaalde stijl. We willen het anders doen. Deze vooropleiding voor dans is nieuw in Roosburch. Het college en de gemeenteraad hebben onze plannen financieel ondersteund. Zij moeten tijdens die voorstelling kunnen zien dat het geld goed besteed wordt. Dat er heel hard gewerkt wordt en dat wij

prachtige dingen doen.' Lars zwijgt en kijkt alle kinderen om de beurt aan. 'Het leek ons leuk om te laten zien dat dans een heleboel tegelijk is; klassiek ballet, jazz, ballroom dancing, moderne dans, hiphop, breakdance...,' somt hij achter elkaar op. 'Het lijkt ons leuker dat jullie als groep beginnen, en dat er steeds een paar dansers 'uitbreken' die in een andere stijl gaan dansen. De overgangen moeten soepel verlopen. Dat betekent dat er heel veel geoefend moet worden. Het wordt een spectaculaire voorstelling.'

'Het maken van de choreografie is een behoorlijke klus!' Leine trekt een moeilijk gezicht.

'Gisteravond hebben we via de mail al wat ideetjes uitgewisseld. We zullen verschillende muziekstijlen op een goede manier bij elkaar kunnen brengen. Dat wordt dagenlang puzzelen. Hoewel het nog een beetje vaag is, wil ik weten wat jullie van dit idee vinden?'

'Gaaf!' roept Anne.

'Ik sluit me bij Anne aan!' lacht Nynke.

'Iedereen mag aangeven welke stijl hij of zij het liefst wil dansen. Daar proberen we zoveel mogelijk rekening mee te houden.'

'Hiphop,' grijnst Stefan.

'We hebben jou genoteerd voor klassiek ballet,' vertelt Lars met een uitgestreken gezicht.

'Ook goed. Dan dans ik het Zwanenmeer wel.'

'Zou je dat doen?' vraagt Leine.

'Hangt van mijn danspartner af.'

Chrissy kijkt naar de vloer. Keek hij haar kant op?

Vol enthousiasme wordt er onderling over de voorstelling gepraat.

Sara doet er niet aan mee. Zij is er met haar gedachten niet bij.

'Wie weet nu al welke dansstijl hij het liefst tijdens de voorstelling wil dansen?'
Stefan, Rachid en Sara steken hun hand op.
'Hiphop?' vraagt Lars.
'Yes!' Rachid knikt.
'Misschien kunnen we de groep uiteen laten vallen en een soort Battle maken,' stelt Leine voor. Battles zijn bijvoorbeeld twee groepen die tegen elkaar dansen. Het publiek erom heen, vaak gebeurd het in een kring, bepaald door het gejuich wie beter is.
'Leuk idee,' knikt Lars. 'Dat noteer ik. Ik vind het belangrijk dat elke dans, hoe kort die ook duurt, een verhaal vertelt. We moeten er rekening mee houden dat de voorstelling aantrekkelijk is voor het publiek. Wij hopen dat Barbel Schmidt binnenkort weer terugkomt. Ze zou ons kunnen helpen met de choreografie. Daar is ze goed in. Vanaf volgende week maandag willen we beginnen met oefenen. Langer kunnen we het niet uitstellen, er is een hoop werk aan de winkel!'
'Doen de andere dansers van de academie ook mee?' vraagt Elmy.
'Waarschijnlijk niet,' antwoordt Lars. 'Jullie zijn de leerlingen van de nieuwe vooropleiding, dus jullie moeten het gaan doen!'
'Gaat lukken!' Leine steekt twee duimen in de lucht.
'Iedereen die een ideetje heeft, kan dat aan ons vertellen,' benadrukt Lars nog eens.
Chrissy merkt dat iemand naar haar kijkt en draait haar hoofd om.
Wham!
Ze kijkt recht in de blauwe ogen van Stefan.
Hij wendt zijn blik niet af. Integendeel.

Hij lacht.
Chrissy lacht terug.
Ze wordt helemaal warm.
Alsof ze zonder woorden een afspraak hebben gemaakt.
Om samen te dansen.

17

Telefoongesprek

Na drie uur intensief dansen, heeft 1D een lange pauze.
Sara staat als eerste van de groep onder de douche.
Chrissy stapt in het douchehokje naast haar. 'Heb je haast?'
Sara reageert niet.
'Of je haast hebt?!'
'Ja, ik hoor je wel,' klinkt het chagrijnig vanachter de andere muur.
Chrissy perst haar lippen op elkaar. Sara's humeur wordt er niet beter op.
'Hou je me in de gaten?'
'Ik was alleen benieuwd,' antwoordt Chrissy luchtig.
Sara draait de kraan dicht en stapt het hokje uit.
Ze heeft dus haast!
Welk sms bericht zou ze hebben ontvangen?
Chrissy spoelt het doucheschuim van zich af en pakt haar handdoek. Als ze een minuut later in bh en slipje de kleedkamer binnenstapt, gaat Sara weg. Chrissy doet alsof ze niets merkt en pakt haar spijkerbroek van het haakje.
Rondom haar wordt over de naderende voorstelling gesproken.
Chrissy bemoeit zich niet met de gesprekken.
Het is ontzettend gaaf dat ze dit mogen doen, maar allesbehalve makkelijk. Klas 1D gaat laten zien wat de nieuwe vooropleiding inhoudt. Dat is eigenlijk onmogelijk in zo'n kort tijdsbestek.
Chrissy is bang dat iedereen van haar groep slapeloze nachten zal krijgen.

Heel even denkt ze aan dat bijzondere moment in de danszaal toen Stefan naar haar keek.
Het voelde werkelijk alsof hij beloofde alleen met haar te willen dansen.
Ze zucht.
Hoe gek maak je jezelf?
Stiekem zou ze best graag willen dansen met Stefan.
Dan raakt hij haar aan.
Maar Stefan heeft niets beloofd! Ze moet ophouden met steeds aan hem denken.
Is het alleen Chrissy opgevallen dat Sara zo snel verdwenen is?
Wat zou ze graag weten wat Sara in haar schild voert.
Chrissy wurmt haar voeten in de schoenen, zonder haar veters los te doen. Met de jas los over haar schouders en twee tassen onder haar arm, loopt ze naar de deur.
'Ga je naar de kantine?' vraagt Amarins.
'Denk het wel.'
'Ik zie je zo!'
Op de gang lopen studenten van de dansacademie met elkaar te praten.
Chrissy rekt zich uit, maar ziet Sara nergens. Dat had ze eigenlijk ook niet verwacht.
Zou Sara al in de kantine zijn?
In het trappenhuis blijft Chrissy voor het raam staan. Sara kan ook buiten met iemand afgesproken hebben.
Chrissy gaat naar beneden en zet haar spullen in een hoek van de garderobe. Dan loopt ze via de hoofdingang naar buiten.
De septemberzon gaat schuil achter een dik wolkendek, waardoor het buiten fris is.
Op de binnenplaats zijn weinig mensen.

Wow!
Ze heeft goed gegokt.
Sara staat tegen een oude pilaar geleund met de telefoon tegen haar oor gedrukt.
Wat nu?
Naar haar toegaan is geen optie. Ze springt uit haar vel.
Sara probeert iemand te bellen, maar het lukt niet om verbinding te krijgen.
Het heeft te maken met dat sms'je dat ze vanochtend ontvangen heeft. Dat is blijkbaar belangrijk.
Chrissy draait zich om en loopt de hal in.
Opeens duikt Stefan naast haar op. 'Buiten geweest?'
Fluwelen vlinders worden wakker in haar buik. 'Nee. Het is koud.'
'Ik heb zin in de voorstelling.'
'Ik weet het niet...,' zegt ze zacht.
'Onzeker?'
'Er is weinig tijd om te oefenen.'
'Als iedereen doet waar die goed in is, wordt de voorstelling cool.'
'Ik sterf duizend doden.'
'Kom op, zeg! We gaan knallen!'
'Van mij mag het.'
Het voelt geweldig om naast hem door de lange gang te lopen.
Zijn onder haar schoenen fluwelen luchtkussentjes gegroeid?
Vlinderlicht!
Groep 1 D heeft zich rond twee tafeltjes in de kantine verzameld. Stefan schuift er twee stoelen bij.
'We komen in de krant,' giechelt Vera.
'Wie zegt dat?' Linde kijkt haar met opgetrokken wenkbrauwen aan.

'Lars!'
'Logisch,' vindt Elmy. 'De voorstelling gaat publiek trekken.'
Coen staat op van zijn stoel. 'Kan ik de bestelling opnemen?'
'Chocolademelk!' roept Chrissy.
Bijna iedereen wil warme chocolademelk. Rachid en Stefan lopen met hem mee om het te gaan halen.
Sara stapt de overvolle kantine binnen en kijkt zoekend rond.
Vera wenkt haar.
'Brrr, koud buiten,' zegt Sara en ploft op de stoel naast Chrissy.
'Die is eigenlijk bezet,' mompelt ze.
Sara haalt haar schouders op en blijft zitten. Haar telefoon gaat over. Haastig drukt ze de groene toetst in en loopt, struikelend over haar eigen voeten, de kring uit.
Chrissy schuift onopvallend haar stoel naar achteren om iets van het telefoongesprek op te kunnen vangen.
'Ja, dat klopt. Ik heb u een paar maal geprobeerd te bellen,' fluistert Sara opgewonden.' Ik heb bericht gehad.'
Chrissy leunt achterover.
'U had gelijk. Ik ben uitgenodigd.' Sara lacht blij. 'Natuurlijk hoopte ik het. Maar ik dacht dat ik geen kans zou maken.'
Het is even stil.
'Zaterdag,' zegt Sara. 'Om drie uur 's middags.'
Chrissy heeft geen idee waar het gesprek over gaat en met wie Sara spreekt.
'Tot vanmiddag,' groet Sara. Ze verbreekt het gesprek.
Chrissy schuift haar stoel naar voren.
Waar is ze voor uitgenodigd?
'Mag ik hier wel of niet zitten?' Sara wijst naar de lege stoel naast Chrissy.

'Van mij wel. Stefan gaat wel ergens anders zitten.'
'Stefan?' lacht ze plagend. 'Zat hij hier?'
Chrissy staart voor zich uit.
'Hebben jullie al trouwplannen?'
'Als jij bruidsmeisje wil zijn, prikken wij een datum,' grapt Chrissy.

18

Krijg nou wat!

Chrissy is blij dat de spanning tussen haar en Sara minder is geworden en, dat Sara daar ook haar best voor doet. Toch blijft Sara's geheim tussen hen in staan. Het voelt niet goed.
Ze zou het liefst vragen of Sara het met haar wil delen. Sara zal alles ontkennen en zeggen dat ze uit haar nek kletst.
Iemand tikt Chrissy op haar schouder.
'Zou dat wat zijn?' vraag Stefan. Blijkbaar heeft hij haar een vraag gesteld.
Ze haalt haar schouders op. 'Ik heb niet gehoord wat je zei.'
'Dat idee van een Battle.'
'Dat kan leuk zijn.'
'Je loopt niet over van enthousiasme.'
'Ik denk niet dat het slim is om van alles te laten zien.'
'Wat bedoel je.'
'Wij zijn beginnelingen en dansen niet op een hoog niveau. We kunnen beter die dingen doen, die we goed kunnen. Hoe ingewikkelder we het maken, hoe groter de kans dat het misgaat.'
'Je wilt op safe spelen.'
'Dat is beter dan dat we languit op het podium vallen.'
'Dat is een doemscenario.'
'Het is toch zo?'
'Geen Battle dus?'
'Lars vond het wel een leuk idee.'
'Vanuit zo'n Battle, kun je overgaan naar klassiek ballet.'

'Van wilde hiphop naar klassiek ballet?' Chrissy laat haar rug tegen de leuning van de stoel zakken en kijkt hem niet-begrijpend aan.
'Ik hou van contrasten.'
'Ook van klassiek ballet?'
'Mwah.' Stefan knikt. 'Het is niet mijn sterkste punt.'
'Als je veel oefent, mag je misschien een Pirouette met mij in je armen draaien.'
'Zou je dat durven?'
'In jouw armen?' Ze schudt uitdagend haar hoofd.
'Natuurlijk niet.'
Hun ogen hechten zich een tijd lang aan elkaar.
Chrissy is de eerste die haar blik afwendt. Ze heeft klamme handen.
De pauze is snel voorbij.
Wanneer ze in de klas wachten op de leraar Nederlands, hurkt Sara naast Chrissy's tafeltje.
'Heftig.'
'Wat?'
'Dé liefde.'
Chrissy krijgt een kleur. 'Heb je er problemen mee?'
'Het valt op.'
'Wat?'
'Weet je best.'
'Nee, echt niet.'
'Stefan en jij.'
'Zeur niet.'
'Elmy, Vera en Quinty fluisterden over jullie.'
'Er is niets.'
Sara grinnikt met overdreven geluidjes. 'Waarom ontkennen?'
'Omdat het zo is.'

'Stefan loopt je achter na als een hondje.'
'Doe niet zo belachelijk. Ik merk er niets van.'
'Mogen we het nog niet weten?'
'Als hij mij ten huwelijk vraagt, ben jij de eerste die het weet,' belooft ze met uitgestreken gezicht.
Sara schiet in de lach en staat op. 'Dat is dus duidelijk.'
'Wat?'
'Jij en Stefan zijn officieel 'in love'. Gefeliciteerd.'
Op het moment dat Chrissy denkt van Sara's geplaag af te zijn, komt ze weer terug.
'Mag ik je een tip geven?'
'Kost dat wat?'
'Nee. Vriendendienst.' Sara giechelt. 'Wanneer er kansen op je pad komen, moet je ze met twee handen vastgrijpen.'
'Kansen,' snuift Chrissy spottend.
'Stefan!'
'Is hij 'een kans'?'
'Er zijn meisjes die hem wel zouden willen.'
'Jij?'
'Niet mijn type.'
'Ik dacht dat je van hiphop hield.'
'Dat wel.'
De leraar stapt de klas binnen en groet met luide stem.
Sara gaat naar haar plaats terug.
'Sara?'
'Ja?' Ze neemt Chrissy afwachtend op.
'Waarom mag ik het niet weten?'
Sara trekt een onschuldig gezicht. 'Wat?'
'Laat maar.' Ze maakt een afwerend gebaar met haar hand.
Stom, ze had haar mond moeten houden.
Tijdens het wisselen van de les merkt Chrissy dat Sara

haar ontloopt. Blijkbaar wil ze niet lastig gevallen worden. Chrissy is niet van plan om er nog eens over te beginnen.
Aan het eind van de schooldag maakt klas 1D zich op om naar huis te gaan. Ze zijn moe. Iedere ochtend met een zware danstraining beginnen, is niet niks. Daarna volgen er saaie theorielessen.
Als Chrissy in haar eentje naar de garderobe loopt, haalt Sara haar in.
'Hij staat op je te wachten.'
Chrissy slaakt een zucht. 'Soms zijn grapjes niet leuk.'
'Het is geen grapje.'
'Ik merk het wel.'
'Je moet jongens laten merken of je ze wel of niet ziet zitten.'
'Ben je ervaringsdeskundige.'
'Dat kun je wel zeggen.' Ze klopt zichzelf op de borst. 'I'm a streetgirl!'
'Als hij mij aardig vindt, dan moet hij dat maar vertellen. Dat hoef jij niet te doen.'
'Ik bedoel het goed.' Sara schudt haar donkere haar naar achteren.
Nog steeds heeft ze een goed humeur.
Bij de fietsenstalling neemt Sara afscheid en laat nadrukkelijk merken dat ze niet samen met Chrissy richting huis wil fietsen.
Chrissy zegt: 'Ik laat je alleen. Veel succes.' Sara glimlacht aarzelend.
Ze stapt op haar fiets en ziet Stefan bij de poort staan.
Zou hij op haar wachten?
Sara wijst nadrukkelijk in Chrissy's richting als ze langs hem fietst.
'Trut,' fluistert Chrissy lacherig. Zenuwachtig nadert ze Stefan.

Sara is de straat al uit.
'Heb je zin in chocolademelk?' vraagt hij schuchter.
Chrissy aarzelt.
'Ik trakteer.'
'In de kantine?'
'Of in de stad. Zeg het maar.'
'In de stad,' knikt ze. 'Gezellig.'
Met bonkend hart fietst ze naast hem verder. Ze heeft genoeg te vertellen, maar er komt geen woord over haar lippen.
Als de stilte te lang duurt, vraagt ze of hij toevallig gezien heeft welke kant Sara op ging.
'Volgens mij naar het centrum.'
'Vreemd. Dat doet ze steeds vaker na schooltijd.'
'Ze woont niet in Roosburch, hè?'
'In Hevelem. Een gehucht. Dan moet ze de andere kant op.'
Chrissy denkt aan die ene keer dat ze een meisje in een paarse jas op de webcamera zag. Zoekend glijden haar ogen langs de gevels van de oude monumentale panden rond het middeleeuwse marktplein.
De webcamera staat op het platte dak van een warenhuis. Wanneer de camera helemaal naar rechts draait, moet je een huis kunnen zien met een stenen trap ervoor. Aan die kant is maar één huis met een stenen trap.
Stefan fiets het marktplein op.
'Wacht! Ik wil even naar de overkant.' Ze wijst naar dat grote herenhuis vlakbij een steegje.
Stefan fronst zijn voorhoofd en fietst met een bocht over het plein terug.
Chrissy vertelt wat ze op de webcamera zag.
'Bespioneer je Sara,' vraagt hij lachend.

'Een beetje wel.'
In het steegje staat Sara's fiets.
'Ze is hier!' Chrissy wijst naar de fiets.
'Op het plein?'
Chrissy schudt bedachtzaam haar hoofd. 'Ik zag haar toen op de trap van dat grote huis.'
Ze stapt van haar fiets en duwt haar voorwiel in een rek.
'Wat ga je doen?'
'Kijken.'
'Ze moet toch zelf weten ...' Stefan maakt zijn zin niet af.
Chrissy luistert niet. Ze loopt met haar handen diep in de zakken gestoken naar het huis met de stenen trap en houdt de ramen angstvallig in de gaten. Ze wil niet dat Sara haar ziet.
Wie zou er in dat huis wonen?
Naast de deur hangt een vierkant bordje.
Verbijsterd staart Chrissy omhoog.

Franciska Foolderman
Klassiek Zangcoach

'Krijg nou wat,' fluistert ze.
'Klassieke zangcoach?' mompelt Stefan die achter haar is komen staan. 'Wat heeft ze daar te zoeken?'

19

Een leugen

Chrissy's hersenen werken op volle toeren.
Wat kan de reden zijn dat Sara in het geheim een zangcoach bezoekt?
'Ik snap er geen hout van.'
'Niet mee bemoeien.'
'Wat?'
'Je hoeft het niet te snappen. Je moet je met je eigen zaken bemoeien,' grijnst hij.
'Zoiets kan ze toch gewoon vertellen?'
'Waarom zou ze?' Stefan schudt zijn hoofd.
'Het is de normaalste zaak van de wereld.'
'Meisjes stellen altijd eisen.'
'Dat is niet waar.'
'Ze noemen zich hartsvriendinnen en vinden dat ze geen geheimen voor elkaar mogen hebben. Anders ben je geen hartsvriendin. Ik wil zelf bepalen wat ik mijn vrienden vertel.'
'Dat bepaal ik ook.'
'Meisjes zijn toch anders,' houdt hij vol.
'Iemand vertrouwen heeft niets te maken met of je een meisje of jongen bent.'
'Noem je zoiets een kwestie van vertrouwen?'
Chrissy knikt bevestigend.
'Meisjes verwachten dingen van elkaar. Ze zijn zogenaamd vriendinnen wanneer ze elkaar alles vertellen. Dan weet de ene vriendin precies wat de ander denkt en voelt. En als er één van de twee verliefd wordt, beginnen de problemen pas echt. Dit heb ik al een paar keer van dichtbij

meegemaakt. Vriendschappen horen geen regels te hebben.'
Chrissy vindt het wat zwart-wit gesteld, maar ze snapt wat hij bedoelt. Niet alle vriendschappen zijn zo.
Volgens hem is vriendschap iets dat op basis van een diep gevoel van vertrouwen bestaat. Dat hoeft niet benoemd te worden.
'Wanneer de ene vriend van de andere iets verwacht, is het geen vriendschap.'
'Ik heb daar nooit zo over nagedacht,' mompelt Chrissy. 'Wat is vriendschap dan wel?'
'Wat ik zei. Het heeft niets met regels te maken, maar alles met vertrouwen.'
'Ik vind dat vrienden juist alles met elkaar delen. Dat maakt een vriendschap speciaal.'
Ze lopen terug naar het marktplein.
Chrissy kijkt over haar schouder. Er is niemand bij de ramen van het herenhuis te zien.
'Ik bedoel het niet negatief,' begint Stefan voorzichtig. 'Maar, ik merk dat jij boos bent op Sara omdat ze jou niet heeft verteld dat ze naar een zangcoach gaat.'
'Waarom zou ze het geheim houden?'
'Sara is jouw vriendin. Jij wilt niet dat ze geheimen voor je heeft. Jij kan niet voor een ander beslissen wat hij of zij verteld. Ik vind dat iedereen dat zelf moet weten.'
Chrissy slaakt een vermoeide zucht. 'Ik weet niet of ik Sara mijn vriendin zou willen noemen.'
'Nou, dan!' Hij lacht zijn prachtige tanden bloot. 'Waar hebben we het over?!'
Ze laten hun fietsen achter bij het rek en steken het plein over.
Het is druk in het restaurant.

Zou er nog een tafeltje vrij zijn?
Opeens dringt het tot Chrissy door dat ze Stefan helemaal voor zichzelf heeft!
De jongen die bijna elke minuut in haar gedachten is.
Ze zou hem kunnen vertellen over haar gevoelens.
Maar dat durft ze niet.
Misschien is hij niet verliefd op haar.
Misschien valt ze hem heel erg tegen.
En, wat nog veel erger is, ze heeft nog nooit een jongen gezoend. Nou ja, op de kleuterschool heeft ze wel eens knuffelzoentjes weggegeven. Maar met echt zoenen heeft ze geen ervaring.
Hoeveel meisjes van dertien zouden wel gezoend hebben?
Is zij een uitzondering?
Het zweet breekt haar uit.
Waar begint ze aan?
Haar knieën knikken. Nog even en ze zakt in elkaar.
Onzekerheid is het ergste wat bij verliefdheid hoort. Het lijkt met de minuut erger te worden.
Stefan houdt de deur voor haar open.
'Galant,' glimlacht ze.
'Ik wil een goede indruk maken.'
'Waarom?'
'Zomaar.'
Verlegen lachend lopen ze achter elkaar het restaurant binnen.
Het geroezemoes binnen valt als een warme deken over hen heen.
Stefan, die een hoofd groter is dan Chrissy, ziet dat er een tafel vrij is. Hij wenkt Chrissy mee te komen.
'Een plek bij het raam,' glimlacht ze tevreden. 'Mazzel.'
Ze hangen hun jas over de leuning van de stoel.

'Chocolademelk? Of wil je iets anders?'
'Warme chocolademelk vind ik heerlijk.'
'Met slagroom?'
'Dat maakt het zo duur.'
'Dat heb ik wel voor je over.'
Ze lachen vluchtig naar elkaar.
'Ik heb geld van mijn opa gekregen.'
'Voor de slagroom,' giechelt ze.
'En de chocolademelk!' Stefan loopt met een kaarsrechte rug tussen de tafeltjes door naar de bar om de bestelling door te geven.
Hij is lief.
Toch twijfelt ze.
Ze weet niet of ze verkering wil.
'Loop niet op de zaken vooruit,' fluistert een stemmetje in haar achterhoofd.
Hoezo? Chrissy haalt diep adem.
Het stemmetje fluistert opnieuw.
'Je weet niet eens of hij verliefd is op jou. Misschien vind hij je aardig, maar wil hij eerst uitzoeken of dat andere meisje dat interesse in hem heeft leuker is. Wees niet onnozel. Waarom zou hij op jou verliefd zijn? Jullie kennen elkaar nauwelijks. Je zit in de zelfde klas, maar daar is alles mee gezegd. Denk niet dat de ander dezelfde gevoelens heeft dan jij. Kijk uit. Stel je niet te kwetsbaar op. Besef dat je het minstens vijf jaar met elkaar in dezelfde dansklas moet volhouden. Het is beter om de kat uit de boom te kijken...'
Chrissy perst haar lippen op elkaar. Inderdaad, het kan geen kwaad om een beetje afstand te houden.
Nooit geweten dat 'de liefde' zo lastig kan zijn.
Stefan komt terug. 'De bestelling wordt zo gebracht.' Hij gaat op de stoel tegenover haar zitten.

Ze kijken elkaar aan. Twee, drie tellen. Dan wenden ze hun blik af.
'Grappig,' mompelt Chrissy.
'Wat?'
'Gewoon, dat we hier zitten.'
'Grappig?'
'Gezellig,' verduidelijkt ze.
'Jij en ik?'
Chrissy's hart gaat tekeer. 'Ja, jij en ik. Wie anders?'
Beiden voelen zich ongemakkelijk als er een stilte valt.
'Je hebt gelijk,' begint Chrissy aarzelend. 'Bij vriendschappen horen geen verwachtingen, maar je hebt ze wel wanneer je iemand vertrouwt.'
'Heb ik ook,' geeft hij toe.
Chrissy draait haar bovenlichaam een kwartslag om naar buiten te kunnen kijken. 'Zou ze er nog zijn?'
'Je bent nieuwsgierig.'
Ze schenkt hem een uitdagende lach. 'Vind je het gek?'
'Nee. Meisjeskwaal.'
'Ben jij niet nieuwsgierig?'
'Nee, nooit.'
Chrissy snuift verontwaardigd. 'Jongens liegen.'
'Ik niet.'
'Ben jij honderd procent te vertrouwen?'
'Moet ik de eed afleggen?' Hij steekt twee vingers in de lucht.
'Best.'
'Ik ben honderd procent betrouwbaar,' zweert hij.
Ze lachen.
'Kijk! Daar is ze!' Stefan ziet Sara uit de deur komen.
Chrissy gaat achterstevoren op haar stoel zitten.
Sara staat in de deuropening te praten. De afstand is te groot

om het gezicht van de vrouw te kunnen onderscheiden.
'Ik hoor je denken.'
'O, ja? Wat denk ik dan?'
'Dat je eigenlijk naar haar toe zou willen.'
'Je kunt gedachten lezen!' Chrissy grinnikt zachtjes. 'Ik wil weten waarom Sara zangles heeft! Zal ik het vragen?'
Stefan kijkt verbaasd. 'De chocolademelk wordt zo gebracht.'
'Het hoeft niet lang te duren.'
'Oké.'
Chrissy bedenkt zich geen seconde. Ze schuift haar stoel naar achteren en haast zich naar de deur.
'Meisjes…' Stefan staart haar verbluft na.
Wanneer Chrissy over het marktplein holt, ziet ze dat de vrouw haar hand opsteekt en de deur sluit. Sara gaat de trap af.
'Sara!'
Sara blijft staan met de hand op de ijzeren leuning.
'Ik zit met Stefan in het restaurant!' vertelt ze buiten adem.
'Zit jij op zangles?'
Sara lacht luid. 'Ik op zangles? Nee, hoor.'
Chrissy laat zich niet meteen uit het veld slaan en wijst naar het bordje aan de muur.
'Ja, en?'
'Misschien heb je een verborgen talent.'
'Ik niet.' Sara schudt haar hoofd. 'Zij is een kennis van mijn tante.'
Het is een leugen!
Chrissy zwijgt en hoopt dat Sara een tipje van de sluier zal oplichten. Maar Sara voelt zich niet geroepen om verdere uitleg te geven.
'Als je wilt dat het iets wordt met Stefan, zou ik maar naar hem toe gaan.'

'Hij loopt niet weg.'
'Stom om hem alleen te laten. Tot morgen.' Zonder er verder nog iets aan toe te voegen loopt Sara langs haar heen en verdwijnt in de steeg om haar fiets te pakken.
Chrissy loopt in gedachten terug naar het restaurant.
Er klopt iets niet.
Stefan kijkt haar afwachtend aan wanneer ze bij hem aan het tafeltje schuift.
'De chocolademelk is net gebracht.' Hij schuift de grote mok dichter naar haar toe. 'Wat zei ze?'
'Niet veel.'
'Ze vertelde toch wel iets?' vraagt Stefan nieuwsgierig.
'Ze liegt.'

20

Misschien...

Stefan staat op. Hij heeft al afgerekend.
Chrissy trekt haar jas aan.
Het had bijzonder kunnen zijn, maar dat is het niet geworden. Ze heeft het verknald.
Stefan deed zijn best om een gesprek gaande te houden, maar Chrissy was afwezig. Het bleef haar dwars zitten dat Sara tegen haar loog.
Achter elkaar lopen ze tussen de tafeltjes door naar de uitgang.
'Het was gezellig,' zegt Chrissy zacht.
Stefan kijkt haar vluchtig aan. 'Je hebt weinig gezegd.'
Ze perst haar lippen verontschuldigend op elkaar.
'Je moet het loslaten.'
'Wat?'
'Sara.'
'Ze loog.'
'Haar probleem.'
'Hoe zou jij het vinden als iemand tegen jou liegt?'
'Weet je zeker dat ze loog?'
'Nee, maar...'
'Ik zou er misschien ook van wakker liggen,' valt hij in de rede.
Ze halen de fiets uit het rek en blijven naast elkaar op het trottoir staan.
'Sara is anders dan jij bent.'
'Vind je dat?' vraagt ze verwonderd.
'Feller en onvoorspelbaar.'
'Veranderlijk,' vindt ook Chrissy. 'Ik weet dat haar ouders

niet meer leven. Ze heeft een hele moeilijke periode doorgemaakt.'
'Heftig.'
'Ze komt soms onverschillig over.'
'Het is een houding. Jij bent zachter.'
Chrissy richt haar aandacht op haar fietsbel. 'Sara heeft een super danstalent.'
'Je weet wat ze op de academie zeggen; met talent alleen kom je niet ver in de danswereld.'
'Ik vind haar goed.'
'Oké, maar ze moet hard werken aan haar techniek en houding.' Stefan maakt aanstalten om op het zadel te gaan zitten. 'Je moet haar loslaten. Dat is beter voor jou en gezelliger voor mij.'
'Ik zal mijn best doen.' Ze glimlacht.
Tot het kruispunt, waar ze elk een andere kant uit moeten, zwijgen ze.
'Tot morgen,' groeten ze tegelijk.
Zijn woorden klonken bijna als een waarschuwing, denkt ze. Stefan heeft zich geërgerd aan haar gedrag.
Hij is een denker, en luistert goed naar wat anderen te vertellen hebben. Stefan heeft een mening en durft die ook te uiten. Met hem krijg je geen ruzie. Iedereen vindt hem leuk.
Misschien schuilt daarin het gevaar. Want er zullen altijd kapers op de kust zijn! Dat zal onrust geven. De angst dat iemand waar je veel om geeft je laat vallen als een baksteen is groot.
Ze hoeft maar te denken aan de verbroken vriendschap tussen Marjolein en haar.
Wat stelt het uiteindelijk voor?
Niets.

Ze zet haar fiets in de schuur.
Haar moeder is nog in de praktijk. Ze werkt de laatste tijd elke week een paar uur extra om de wachtlijst van patiënten weg te kunnen werken.
Robin en haar vader zijn er nog niet.
Ze heeft de kamer voor zich alleen. Als ze zou willen, kan ze dansen.
Hoe krijgt ze al die rottige gedachten uit haar hoofd?

Marjolein.
Sara.
En vreselijke twijfels over wel of niet verliefd zijn.

Chrissy eet een paar chocolade koekjes, drinkt een glas cola en brengt haar boekentas naar boven.
Ze start haar computer.
Ze moet een keuze maken. Maar welke?
Wat gebeurt er als ze deze kans niet grijpt. En is dat dan een ramp?
Met een zucht klikt ze haar mailbox aan.
Geen mail.
Ze bekijkt een paar dansfilmpjes, die op YouTube geplaatst zijn.
Eén filmpje spreekt haar enorm aan. Daarin dansen een jongen en meisje samen.
Hiphop.
Als ze heel goed zou zijn, zou Stefan dan met haar willen dansen?

'Dans met mij.'

Het was een droom.

'Dans met mij!' fluisterde hij met een zwoele stem in haar oor. 'Samen dansen we de sterren van de hemel.'
'Jij wilt alleen maar hiphop?' had ze gezegd.
'Dat kun jij ook.'
'Niet zo snel en goed als jij.'
'Ik neem je mee in mijn dans.'
'Dat gaat mis.'
Stefan legde een arm om haar middel en trok haar mee naar het midden van de zaal.
'Ik wil niet.'
'Het moet. Ze wachten.'
Chrissy klikt het filmpje weg. Het is een mooie dans, maar voor haar te hoog gegrepen. Sara zou het wel kunnen.
Eigenlijk is het heel simpel. Of ze doet haar best en probeert samen met hem te dansen of ze laat Stefan schieten.
Volgende week wordt definitief besloten wat er tijdens de voorstelling gedaan wordt. Als ze werkelijk met Stefan wil dansen, moet ze dat kenbaar maken en alles op alles zetten.
Maar kan ze dat?
Is ze goed genoeg?
Misschien hebben Lars en Leine hele andere plannen en zullen ze nooit aan Stefan en Chrissy als danscombinatie denken.
Stefan met Sara zou een betere en logischere keus zijn.
Het idee dat hij met Sara zal dansen, geeft een vervelend gevoel.
Dat krijg je dus, als je verliefd bent: vervelende toestanden!
Chrissy wil goed worden in dansen. Dat is haar droom.
Ze wil niks met een jongen. Nu niet.
Ze is dertien.

Wie wil er dan vastzitten aan een vriendje en elke minuut bang zijn om hem kwijt te raken aan een ander?
Misschien is het verstandig om Stefan een duidelijke mail te sturen.
Maar wat moet ze schrijven? Ze heeft helemaal niets met hem. Behalve dat ze twee keer samen warme chocolademelk hebben gedronken. Dat kun je geen relatie noemen.
Stefan ergert zich aan haar.
Hij zei niet voor niets dat ze Sara moest loslaten!
Als Sara geheimen heeft, mag dat volgens hem. Ook al ben je met elkaar bevriend. Je bent en blijft van jezelf.
Hij heeft gelijk.
Ze heeft zich niet van haar beste kant laten zien. Dat is duidelijk.
Als het toch op niets uitdraait, kan ze er beter niet aan beginnen.
'Bagger,' zucht ze vermoeid en legt haar hoofd op haar armen.
Ze pakt een leeg vel en schrijft Stefans naam dwars over het papier.
Roerloos staart ze naar de naam.
Dan krast ze de naam door en verscheurt het papier in kleine snippers.
Ze wil vrij zijn om te dansen.
Het lucht op als alle snippers in de prullenbak verdwijnen.
Chrissy staat op, maar gaat meteen weer zitten.
Er is een bericht.

Aan: Chrissy
Van: Stefan

Hi Chrissy!

Er zit me iets dwars en ik wil je dat graag uitleggen.
Ik weet bijna wel zeker, dat ik je een vervelend gevoel heb bezorgd door mijn gezeur.
Dat je het vervelend vindt dat Sara zo doet, is heel logisch.
Ik deed alsof je er geen punt van moest maken.
Zo bedoelde ik het niet.
Volgens mij ben je gevoelig en trek jij je veel dingen aan.
Ik wilde proberen je te helpen om het van je af te zetten.
Het spijt me dat ik daardoor verkeerd over gekomen ben.
Eigenlijk bedoelde ik het goed. ☺
Maar zo kwam het niet over, hè?'
Gaan we nog een keer samen iets drinken.
Ik hoop van wel.

Stefan

Wat lief!
Natuurlijk gaat ze nog eens wat met hem drinken.
Misschien moet ze hem nog maar een kans geven.
Toch?

21

Kiezen

Het is alweer vrijdag. Dansklas 1D heeft zich verzameld in de danszaal op de begane grond. Er heerst een lichte spanning. Leine en Lars hebben de choreografie in grote lijnen klaar en willen die deze ochtend bespreken.
'Dat niet alleen!' kondigt Lars aan. 'We willen beginnen.'
'Met oefenen?' vraagt Denise.
'Wat dacht jij! Er is weinig tijd en er zal veel gedanst moeten worden.'
Iedereen is nieuwsgierig.
Hoe zal de dansvoorstelling worden?
Leine staat met een map tegen zich aangedrukt in de deuropening. Ze praat met Lars die zijn dansschoenen aandoet.
Chrissy kijkt naar de twee jonge leraren. Het zijn serieuze, hardwerkende mensen die alles uit hun leerlingen willen halen. Zij weten als geen ander dat discipline en doorzettingsvermogen onmisbare elementen zijn om verder met dansen te komen.
Leine nodigt iedereen uit om in de kring te komen zitten.
Chrissy kijkt naar de sierlijke manier waarop ze beweegt
Chrissy voelt soms een lichte jaloezie wanneer ze naar al die tengere meisjes kijkt die over het podium dansen. Zij is niet dik, maar als mensen horen dat ze in de talentenklas van de dansacademie zit, fronsen ze verbaasd hun voorhoofd. Elke keer weer maken ze dezelfde opmerkingen:

Goh je ziet er niet uit als een ballerina. Ik had me een danseres heel anders voorgesteld.

Chrissy weet dat er niks mis is met haar lijf. Ze is gezond. Haar spieren en gewrichten zijn soepel. Daar gaat het om. Soms, heel soms zou ze iets dunner willen zijn. Zoals Amarins, Denise of Leine.
Ze heeft hierover wel eens met Marjolein gepraat. Zij begreep wat Chrissy bedoelde, maar vond dat ze daar geen punt van moest maken.
'Je bent iets forser dan de gemiddelde danser, maar het zegt niets over jouw danskwaliteiten.'
Marjolein deed altijd haar best om Chrissy te steunen, wanneer ze onzeker was en aan haar danstalent twijfelde.
'Je bent goed. Echt! Het gaat je lukken. Jij komt op de dansacademie. Zeker weten. Zit er maar niet over in.'
Chrissy wil niet aan haar denken. Het voelt naar. Marjolein heeft haar de laatste maanden door dik en dun gesteund. En dat stomme misverstand heeft alles kapot gemaakt.
'Het is voor iedereen moeilijk om in een korte tijd een goede voorstelling in elkaar te zetten. En alles wat we doen, moet zo goed mogelijk gedaan worden. Het publiek moeten we in verwondering achter laten.' Lars pauzeert een ogenblik om de woorden op hen in te laten werken.
'Jullie moeten stuk voor stuk laten zien wie je bent.' Leine maakt grootse gebaren met haar armen om de woorden kracht bij te zetten. 'Uitstraling is belangrijk. Ze moeten kunnen voelen wat er op het podium gebeurt en meegaan in jullie bewegingen. Ze moeten het verhaal kunnen begrijpen, zonder dat er woorden nodig zijn om het verhaal te vertellen.'
'Geen probleem,' merkt Coen droogjes op.
Het gaat zeker lukken. Denk aan wat Barbel Schmidt jullie heeft verteld,' glimlacht Lars.

Het blijft een paar seconden stil. 'Weten jullie niet wat ik bedoel?'
Dertien hoofden bewegen langzaam heen en weer.
'Ze had het over vleugelvoeten.'

'Dansen is heel bijzonder,' zei ze. 'Je geeft alles van jezelf. Dansen komt uit het gevoel.'

Chrissy herinnert zich dat moment in de danszaal nog goed. Barbels woorden maakten indruk.

'Dansen komt uit het gevoel. Dat lijkt logisch, toch is het een kunst om dansen op die manier te ervaren. Misschien denken jullie, dat het makkelijk is. Ik weet dat het moeilijk is. Je moet je heel kwetsbaar opstellen wanneer je vanuit je innerlijk danst. Als je dat durft en kunt, dan dans je echt. Dan hebben voeten vleugels gekregen. Alles wat ik nu verteld heb, vat ik met een zelfbedacht woord samen: vleugelvoeten.'

'Ik vind het een prachtige uitdrukking,' knikt Lars. 'In het begin, moet je je hoofd gebruiken. Wanneer de bewegingen geleerd zijn, dans je vanuit je binnenste. Dat is heerlijk. Denk niet dat wij altijd met vleugelvoeten dansen! Soms heb je je dag niet. Dan wil het niet. Onthoud dat zo'n dag weer voorbij gaat en de vleugelvoeten terugkomen.'
'Voor dat ik het vergeet!' Leine trekt een zwart tasje naar zich toe en haalt er een camera uit. 'Vanaf volgende week filmen we tijdens de trainingen. Na afloop bekijken we met elkaar de beelden. Op die manier kan iedereen volgen hoe het dansen gaat, wat wel of niet goed is en welke ontwikkeling jezelf doormaakt. Het kan misschien soms moeilijk

zijn naar jezelf te kijken, maar vertrouw er op dat je er enorm veel van leert. Tijdens de voorstelling gaan we knallen!'
'Ze weten nog steeds niet welke dans we gaan uitvoeren.' Lars kijkt hen plagend aan. 'We wilden een toepasselijk thema bedenken. Ik wist meteen wat ik wilde. Jullie zitten op deze vooropleiding omdat jullie allemaal dezelfde droom hebben; dansen! Het eerste wat mij toen te binnen schoot was het woord 'verlangen'.'
'Is dat het thema?' vraagt Chrissy.
Lars knikt bevestigend.
'Dat zal voor jou geen probleem zijn,' grinnikt Sara.
'Wat bedoel je?' vraagt Nynke.
Sara kijkt haar verwonderd aan. 'Niets gemerkt?'
Nynke schudt haar hoofd.
'Chrissy loopt over van verlangen.'
Nynke draait haar hoofd naar Chrissy. 'Is dat zo?'
'Ze zeurt.'
'Vol verlangen klopt haar hart,' giechelt Sara.
'Ah, ze is verliefd?' concludeert Nynke.
'Ik niet.'
Sara schraapt nadrukkelijk haar keel.
Leine gaat verder met haar verhaal.
'Verlangen is het hoofdthema van de voorstelling. Maar hoe beeld je verlangen uit. Dat is ingewikkeld. Lars en ik hebben een paar dansscènes bedacht om het verhaal te verduidelijken. In feite gaat het over jullie zelf. Jonge dansers die hun droom achterna gaan. Elk mens weet dat je iets moet doen om je droom te verwezenlijk. Het komt je niet aanwaaien. Je moet tegenslagen verwerken (incasseren), in jezelf blijven geloven en vooral doorzetten. Al die elementen willen we in de dans benadrukken. Het is de bedoeling dat er twee verhaallijnen door elkaar lopen.

Het hoofdthema is het verlangen om de dansdroom te verwezenlijken. De andere verhaallijn is het ontstaan van een verliefdheid tussen twee dansers die uiteindelijk tegen elkaar moeten strijden omdat ze voor dezelfde rol auditie moeten doen. Dat is een dilemma voor het meisje en de jongen. Strijden ze tegen elkaar of gunt de ene de rol aan de andere?'
'Wat gemeen,' grijnst Rachid.
'Zo zit het leven in elkaar,' zegt Lars. 'Vol tegenstellingen.'
'De dansscènes staan op papier.' Leine houdt de map omhoog. 'Maar we twijfelen nog over de volgorde. Tijdens het oefenen zullen we de keuzes maken.'
Anne vraagt welke stijl de nadruk krijgt.
'Modern en hiphop.' antwoordt Leine.
'Klassiek?'
'Ja. Jazz en breakdance ook. Misschien zelfs een stukje van de Engelse Wals.'
'We moesten maar beginnen met oefenen,' mompelt Quinty.
'Iedereen klaar voor de warming up?!' vraagt Lars.
Ze knikken.
'Wat bedoelde Sara?' vraagt Linde.
Chrissy haalt haar schouders op.
'Ben je verliefd op Coen?'
'Ik niet.'
'Rachid?'
'Nee!'
'Op iemand anders?'
'Ik heb wel wat anders te doen.'
Linde glimlacht. 'Ik weet genoeg.'
'Je weet helemaal niks,' hapt Chrissy.
'Vertel mij wie de gelukkige. Elk geheim is bij mij veilig.'
Chrissy klemt demonstratief haar kaken op elkaar.

'Ik kom er wel achter,' verzekert ze Chrissy.
Na de warming up dansen Leine en Lars twee scènes.
Ze krijgen applaus omdat het er prachtig uitziet.
'Dit zie ik wel zitten,' zegt Sara.
Ze oefenen anderhalf uur.
Leine en Lars zijn tevreden. Maar de moeilijke scènes komen nog.
'We willen zo snel mogelijk kiezen,' vertelt Leine.
'Ja!' Lars wrijft in zijn handen. De rollen moeten verdeeld worden. We zullen twee dansers moeten uitkiezen die een verliefd stel spelen. Ze moeten dat verlangen naar elkaar uitstralen.'
Chrissy houdt haar adem in.
Ze voelt dat Sara kijkt.
'Het is niet moeilijk kiezen,' giechelt Sara. 'Ik weet wel een stelletje.'
'Maandag maken we een keuze,' beslist Lars. 'Eerst danst iedereen dezelfde scènes.'
'Moeten we auditie doen?' wil Amarins weten.
'Min of meer,' knikt Leine. 'Daarna beslissen we welke twee dansers de hoofdrollen krijgen.'

22

Nog meer leugens?

Met opgestoken armen loopt Coen zijn klasgenoten tegemoet. 'Wiskunde valt uit. We hebben vrij!'
'Woowie, het weekend kan beginnen!' juicht Quinty. 'Ik kan wel wat rust gebruiken.'
'Aansteller!'
'Heeft iemand zin om naar de oefenzaal te gaan?' vraagt Elmy.
'Wil je de beste worden?' plaagt Coen.
'Hoezo, de beste?'
'Om met mij te mogen dansen.'
'Je denkt toch niet dat jij die rol krijgt?' lacht Denise.
'Denken?' snuift Coen verontwaardigd. 'Dat weet ik wel zeker.'
'Dan sloof ik me niet uit.'
Iedereen schiet in de lach.
'Ik wil wel oefenen!' meldt Chrissy.
Sara, Nynke en Elmy draaien zich met gespeelde verbazing om.
'Dat snappen wij,' plaagt Sara.
Chrissy reageert niet.
Elmy vraagt aan de jongens wie graag de rol van de verliefde danser wil spelen.
'Waarom niet?' Rachid lacht uitdagend naar de meisjes.
'De keuze zal niet moeilijk zijn,' meent Coen. 'Ik krijg de rol.'
Rachid en Stefan snuiven verontwaardigd.
'Ik ben blij dat wij niet hoeven te kiezen,' zegt Stefan. 'Dat laten we aan Lars en Leine over.'

'Wedden dat jij graag wil winnen.' Rachid gaat met de handen in de zij voor hem staan.
Stefan lacht hem uit.
Chrissy voelt zich ongemakkelijk. Elk moment kan iemand weer een flauwe grap maken over de zogenaamde verliefdheid tussen haar en Stefan.
Ze weet zelf niet wat ze precies voelt.
Die twijfel maakt haar onzeker.
Dat moet stoppen, want het gaat ten koste van haar dansen.
'Een uurtje?' Sara staat midden in de gang en kijkt vragend rond. 'Met de hele groep.'
'Dansen?' Rachid neemt haar afwachtend op. 'Doen we!'
Tien minuten later staat iedereen van groep 1 D in de oefenzaal.
Sara stelt voor om de dansscènes te oefenen die ze vanmorgen geoefend hebben.
'Eerst een warming up!' roept Coen.
Niemand merkt dat Lars in de deuropening staat en tevreden toekijkt.
Wanneer ze in spreidzit op de grond zitten, vraagt Stefan zich af welke scènes het verliefde stel moet dansen.
Sara schiet in de lach. 'Jij wilt de rol graag. Dat is duidelijk. Als jij mocht kiezen...?'
'Lars en Leine kiezen. En bovendien, wil niet iedereen die rol?'
'Maar, als...'
'Gaat je niks aan.'
Als Sara de andere kant uitkijkt, geeft hij Chrissy een knipoog.
Chrissy's hart maakt een vreugdesprongetje, zonder te begrijpen wat hij met die knipoog bedoelde.

Het geeft een gevoel van ... verbondenheid!
Met veel plezier oefenen ze de scènes van vanochtend.
Lars is verdwenen.
Als niemand het merkt, duikt Stefan naast Chrissy op.
'Bang dat ik bijt?'
Chrissy voelt een blos omhoog schieten. De opmerking brengt haar in verwarring. 'Een beetje wel.'
'Dacht ik al. Je zorgt er steeds voor dat er vijfhonderd meter afstand tussen ons is.'
'Lichtelijk overdreven.'
'Vierhonderd dan.'
Ze slaat haar ogen neer.
'Waarom?' fluistert hij.
Chrissy heeft even het gevoel de hoofdrolspeelster van een romantische film te zijn. Maar het is geen film, dit is echt. Ze tilt haar hoofd op en kijkt hem met onschuldige ogen aan. 'Wat bedoel je?'
'Je ontwijkt me.'
'Toeval.'
Hij kijkt haar aan. 'Is er iets?'
'Nee.'
'Nee?'
'Nou ja, die opmerkingen.'
'O, dat!'
'Kinderachtig.'
'Daar trek jij je toch niets van aan?'
'Ik vind het niet leuk.'
'Het gaat vanzelf over.'
Vraag het hem, fluistert een stemmetje in Chrissy's hoofd.
Wat vragen?
Of hij verliefd is op haar?
Never nooit.

Zoiets vraagt ze niet.
Ze hoort hem al zeggen: 'Verliefd? Hoe kom je daar bij? We gaan gewoon met elkaar om, zoals klasgenoten met elkaar omgaan, toch?'
'Ik ben benieuwd wie het gaan worden.'
Chrissy kijkt hem zijdelings aan. 'Wat?'
'Het verliefde danspaar.'
'Zien we vanzelf wel.'
'Zou je willen?'
'Wat een vraag.'
'Nee?'
Ze schudt haar hoofd.
'Maakt het jou niets uit?'
'Te weinig zelfvertrouwen, denk ik.'
'Kom op, zeg. Je bent goed.'
'Dat zeg jij.'
'Dat vinden anderen ook.'
Ze schokt met haar schouders. Ze gelooft hem niet. 'En, jij?'
'Ik zou die rol graag willen dansen.'
'Heb je voorkeur met wie?' Haar stem trilt onzeker.
'Ja.'
Chrissy staart naar haar nagels.
Hert blijft heel stil tussen hen.
Stefan zegt niets.
'Ik zal voor je duimen dat het gaat lukken,' belooft ze.
'Afgesproken.'
Hij draait zich om.
Heel even raakt zijn arm die van Chrissy.
'Cooling down!' roept Sara een uurtje later door de zaal.
'Alle spieren lang maken.'
'Ja, juf!' grapt Rachid.

Ze gaan op de grond liggen. Om de beurt pakken ze hun been vast en trekken dat langzaam naar zich toe. Wie de cooling down goed doet, heeft morgen geen spierpijn.
Sara staat als eerste in de kleedkamer.
'Ga je niet douchen?' Chrissy neemt haar fronsend op.
'Doe ik thuis.'
Chrissy merkt dat ze haast heeft.
'Jij maakt een grote kans om gekozen te worden voor de rol van de verliefde danseres.'
'Ik hoop het.' Sara ploft op de bank en trekt haar schoenen aan.
'Met wie zou jij het liefst willen?'
'Wat dansen betreft heb ik waarschijnlijk de beste klik met Stefan.'
Chrissy slikt.
'Sorry. Maar dat is wat ik zelf denk.'
'Geeft niks.'
'Maak je geen zorgen! Ik val niet op blond.'
Ze lachen naar elkaar.
Als de deur achter Sara dicht valt, voelt Chrissy een knoop in haar maag.
Het voelt niet goed.
Als ze zeker wist dat Stefan met haar zou willen dansen, dan zou ze alles op alles zetten om die rol te krijgen.
Sara danst beter.
En, als Sara het niet wordt, dan maken andere meisjes wel een kans.
Waarom vraagt Sara nooit meer om samen richting huis te fietsen?
Zou ze weer een afspraak hebben?
Haastig propt Chrissy haar spullen in de tas.
'Waar is de brand?' grapt Linde die uit de douche stapt.

'Stefan wacht,' lacht Nynke.
'Tot maandag!' groet Chrissy vrolijk.
Tien minuten later fietst ze buiten adem langs het marktplein. Bij het steegje, vlakbij de woning van de zangdocent, remt ze af.
'Als ik het niet dacht,' fluistert ze binnensmonds.
Sara is er weer.
Ze draait een rondje.
Sara is al binnen.
Wow! Dat is toeval! Een vrouw die uit een warenhuis stapt, herkent ze meteen. Het is Sara's tante. Toen het vorige week hard regende werd Sara door haar met de auto gebracht.
Chrissy springt van de fiets en loopt haar tegemoet.
Ze groet de vrouw vriendelijk en probeert een gesprekje aan te knopen. 'Vorige week heb ik u bij de academie gezien. U bracht Sara met de auto. Ik zit bij haar in de dansklas.'
'Ben jij Chrissy?'
'Klopt.'
'Waar is Sara nu?'
Chrissy aarzelt. 'Dat weet ik niet.'
'Jullie oefenen toch elke dag na school bij jullie thuis? Tenminste, dat zegt Sara.'
Nog meer leugens?!
Tijd om na te denken heeft Chrissy niet.
'Dat klopt,' antwoordt ze. 'Sara komt wat later. Ze moest even naar een winkel.'

23

Niet mee bemoeien

Esther heeft het gevoel dat er iets aan de hand is, maar vraagt niets. Zoekend dwalen haar ogen over het plein.
'Sta je op haar te wachten?' vraagt ze.
'Nee.' Chrissy maakt een achteloos gebaar naar links. 'Sara wilde naar een winkel vlakbij de bibliotheek. Ik moet nieuwe pennen kopen. We zien elkaar straks bij het kruispunt.'
Esther kijkt op haar horloge. 'Hoe laat komt ze thuis, denk je?'
Chrissy haalt haar schouders op. 'Soms oefenen we lang. Soms kort. Hangt er van af hoe het gaat.'
'Meestal is ze kwart over vijf terug. Als jullie nu nog moeten oefenen, wordt het veel later.'
'Moet ze vroeg thuis komen?'
'Nee.' Esther staart peinzend voor zich uit. 'Ik hou er rekening mee dat ze later komt.'
Een minuut later staat Chrissy midden op het plein en kijkt naar het herenhuis met de statige trap aan de voorzijde.
Het verbaasd haar dat het liegen haar zo makkelijk afgaat. Eigenlijk begrijpt ze niet waarom ze dit gedaan heeft.
Chrissy ziet Sara's tante een andere winkel binnengaan. Wanneer ze de deur achter zich sluit, gaat haar blik opnieuw spiedend over het plein. Ze vertrouwt het niet, denkt Chrissy.
Chrissy zal op Sara wachten en vertellen wat er is voorgevallen. Met een beetje geluk neemt ze Chrissy in vertrouwen.
Het wachten duurt lang.
Chrissy zet de fiets tegen een gevel en loopt langs etalages.

Ondertussen blijft ze de woning van Franciska Foolderman in de gaten houden.
Om kwart voor vijf gaat de deur eindelijk open en, net als de vorige keer, blijven Sara en de vrouw nog even met elkaar in de deuropening praten. Dan ritst Sara haar jas dicht, daalt de trap af en verdwijnt in de steeg.
Chrissy spurt over het plein en zet haar fiets dwars voor de ingang van het steegje.
Sara, die voorover gebogen met haar sleuteltje in het slot morrelt, schrikt.
'Ik hoorde dat je elke middag bij mij thuis oefent.'
Sara staart haar perplex aan. 'Wat?'
'Je verstond me wel.'
'Wie zegt dat?'
'Drie keer raden.'
Sara duwt haar fiets achterwaarts in Chrissy's richting totdat ze niet meer verder kan. 'Zeg gewoon wat er is.'
'En dat zeg jij!'
'Waar heb je het over?'
'Ik kwam je tante tegen.'
Sara knijpt haar ogen samen tot smalle spleetjes. 'Esther?'
'Ze was aan het winkelen.'
'Herkende ze jou?!'
'Ja,' antwoordt Chrissy. 'Vorige week werd je met de auto gebracht. Ik heb toen even met jullie gepraat.'
'What's the problem?' vraagt ze stoer.
'Dat je liegt! Je oefent helemaal niet bij mij.'
'Heb je dat gezegd?'
'Nee.'
'Wat dan?'
'Dat je nu naar een winkel moest en dat we later zouden oefenen.'

Sara bijt op haar onderlip. Ze is in tweestrijd of ze Chrissy haar geheim wel of niet zal vertellen.
'Is het goed dat ik dat gezegd hebt?'
Sara mompelt iets onverstaanbaars.
'Niet goed?'
'Ik vind het raar dat mijn tante in Roosburch was,' antwoordt Sara ontwijkend. 'Ze zou zaterdag gaan winkelen. Mag ik er langs?'
Chrissy blijft roerloos staan. 'Wat had ik moeten doen? Vertellen dat je liegt?'
'Doe niet zo dramatisch.'
'Ik merkte dat ze het gevoel had dat er iets niet klopte. Ik dacht, dan lieg ik vrolijk mee en zorg dat jij geen problemen krijgt.'
'Ik leg het haar wel uit.'
Chrissy kijkt haar verontwaardigd aan.
'Mag ik er langs?'
'En, ik dan?'
'Wat?' zucht Sara geërgerd.
'Leg je het mij niet uit?'
'Later misschien.'
Chrissy is teleurgesteld. Ze ging er van uit Sara haar zou vertellen wat er aan de hand is.
Blijkbaar weten haar oom en tante niets van de bezoekjes aan mevrouw Foolderman.
Chrissy slaagt er niet in om een reden te bedenken waarom ze in het geheim deze vrouw bezoekt.
'Het voelt niet goed,' zegt Chrissy.
Sara slaakt een vermoeide zucht.
'Vertrouw je me niet?'
'Daar heeft het niets mee te maken.'
'Waarom vertel je dan niet waar je mee bezig bent?'

'Dat kan nu gewoon niet!'
'Het zit mij niet lekker dat ik tegen jouw tante gelogen heb.'
'Wie heeft gezegd dat je dat moest doen?'
Chrissy duwt haar fiets een meter naar voren om ruimte voor Sara te maken. 'Ik begrijp helemaal niks van jou.'
'Hoeft ook niet,' grinnikt Sara. 'Als ik het maar begrijp.'
Sara blijft een kort ogenblik met haar fiets naast Chrissy staan.
'Je hebt gelijk,' antwoordt Chrissy spottend.
'Ik vraag me af waarom jij altijd en overal met je neus vooraan staat.'
'Dat doe ik niet,' valt Chrissy fel uit.
'Gelukkig.' Sara gaat op het zadel zitten. 'Misschien leg ik je later uit waarom ik nu niets wil vertellen.'
'Boeiend.'
'Tot maandag.'
Beduusd blijft Chrissy achter op het trottoir.
Onderweg wordt ze ingehaald door haar broer. Hoewel ze haar best doet opgewekt over te komen, merkt Robin dat er iets is.
'Marjolein?' vraagt hij.
'Wie is dat?'
'Over en uit?'
'Niet helemaal,' legt ze uit. 'Ik heb gezegd dat we over een paar weken maar eens een afspraak moeten maken.'
'Wat is er gebeurd?'
'Niets. Ik ben moe.'
Crissy heeft geen zin om over Sara te praten.
Thuis zet Robin thee. Ze zitten ze een tijdje gezellig aan de keukentafel met elkaar te praten.
Chrissy merkt dat Robin probeert te achterhalen wat er aan

de hand is. Ze houdt haar kaken op elkaar wat dat onderwerp betreft. Nog even en die toestanden met Marjolein en Sara komen haar neus uit.
Stefan is er ook er nog.
Wat moet ze met hem?
Wat wil hij van haar?
Waarschijnlijk helemaal niets. Stefan is een leuke, sociale jongen die met iedereen goed kan opschieten.
Waarom denkt ze dat zij speciaal voor hem is?
Ze heeft geen zekerheid.
Chrissy neemt zich voor om toch wat meer afstand te nemen, dat is de enige manier om uit te vissen wat haar gevoelens voor hem zijn.
Als blijkt dat hij diepere gevoelens voor haar heeft, kan ze beslissen of ze hem laat weten wat ze voor hem voelt.
Zou ze dat durven?
Pffft, wat ingewikkeld.
Ze denkt dat Stefan uitgekozen wordt voor de rol.
Wie zal zijn danspartner worden?
Maandag valt de beslissing. Zij maakt geen enkele kans.
Stel dat Stefan niet uitgekozen wordt?
Dan is het mogelijk dat ze misschien wel samen een dansscène kunnen doen.
Stel je voor!
Miljoenen vlinders fladderen door haar buik.
Chrissy haalt diep adem en schrikt als Robin vraagt waar ze aan denkt.
'Dansen!' Lachend springt ze op van haar stoel en draait een Pirouette.
Een half uur later zit ze achter de computer op haar kamer en bekijkt geïnteresseerd een paar dansfilmpjes, die pas op YouTube zijn geplaatst.

Tussendoor klikt ze haar mailbox aan.
Ze hoopt een mail van Stefan te krijgen, maar er komt een bericht van Sara.

Aan: Chrissy
Van: Sara

Vraag:

Om je niet met mijn zaken te bemoeien.
Dankjewel.
Sara.

Wat heeft dit te betekenen?
Is Sara bang dat ze iets ontdekt?
'Kreng,' mompelt Chrissy. 'Bekijk het dan maar.'

24

Spijt

Het is kwart over vijf in de vroege zaterdagochtend.
Sara ligt op haar rug in bed en staart naar het donkere plafond. De spanning bonkt in haar buik. Alsof twintig drummers zich daar tegelijk uitleven.
Slapen lukt niet.
Ze doet een lampje aan en gooit het dekbed van zich af en stapt uit bed.
Haar kamer voelt als een tijdelijke logeerplek.
Zal ze zich hier ooit thuis voelen?
Wanneer ze tussen haar bed en het bureau op de grond zit en met de warming up begint, verdwijnt de spanning langzaam uit haar lichaam.
Ze richt haar aandacht op de oefeningen.
Na vijf minuten danst ze kleine stukjes uit de dans die ze zelf bedacht heeft.
Veel hiphop.
Niet alles lukt, toch is ze tevreden.
Ze heeft te weinig tijd om te oefenen. Maar het is nu of nooit.
Als ze even na achten in de keuken aan de ontbijttafel zit, merken haar oom en tante dat ze opvallend opgewekt is.
'Het is een goede keuze geweest dat je naar de dansacademie bent gegaan,' zegt Esther.
Sara verstrakt. Ze herinnert zich heel goed wat Esther tegen een vriendin aan de telefoon zei.
Ze vond het maar niets om van dansen je beroep te maken.
Er viel geen droog brood mee te verdienen.
'De beste keus ooit,' glimlacht Sara.

'Je moet nog heel veel jaren.'
'Wat bedoel je?'
'Eerst de vooropleiding. Daarna kun je pas naar de officiële dansopleiding.'
'Dat vind ik niet erg.'
'Dansen is geen straf voor haar,' lacht Martin. 'Dat houdt ze jaren vol.'
'Het is mijn droom.'
'Wil je later bij een showballet?' vraagt Esther.
'Of toeren met een wereldband,' voegt ze er aan toe.
Sara helpt met het afruimen van de tafel en merkt dat haar oom en tante een verbaasde blik met elkaar wisselen.
Sara helpt zelden.
'Heb je vanmiddag plannen?' vraagt Esther.
'Hoezo?' Sara is op haar hoede. Waarom wil ze dat weten?
'Niets afgesproken?'
'Met Chrissy,' antwoordt Sara snel. 'We gaan dansen.'
'Dan ga ik vanmiddag mee.'
'Mee?!'
'Gewoon, om even kennis te maken met haar ouders. Je bent er elke middag.'
'Ik ga liever alleen.'
'Vanmiddag breng ik je,' antwoord Esther op een toon die geen tegenspraak duldt.
Sara opent haar mond, maar beseft dat het niet verstandig is om ruzie te maken.
Ze moet zo snel mogelijk contact opnemen met Chrissy en hopen dat ze mee wil werken.
Er mag niets mis gaan.
Ze heeft spijt dat ze gisteren dat mailtje naar Chrissy heeft gestuurd.
Wat als Chrissy weigert te helpen?

25

Moeilijk

Chrissy gaat op een stenen muurtje zitten en slaat haar ouders gade die druk aan het werk zijn in de grote tuin rondom de woning.
'Je mag helpen hoor,' zegt haar vader die even opkijkt.
'Slecht voor mijn rug.'
'Je bent een jonge meid.'
'Dansers moeten oppassen voor blessures.'
'Kom op!' Peter van Dungen steekt een vuist omhoog. 'Doe niet zo belachelijk. Wie tuiniert, loopt geen blessures op. Dat is onmogelijk.'
'Sorry pap, het mag echt niet van mijn docenten.'
'Dat is waar!' roept Annelies terwijl ze op haar knieën in het gras zit.
'Jongen, gezonde kinderen mogen niet tuinieren?'
'Serieus!' zegt Annelies. 'Kamers opruimen, stofzuigen en tuinieren zijn blessuregevoelige handelingen.'
'Jij snapt het helemaal,' grinnikt Chrissy.
'Aanstellers!'
'Pap, het zou jammer zijn dat ik door overbelasting van mijn spieren moet stoppen met dansen.'
'Meid, laat je handen maar eens wapperen. Daar staat het tuingereedschap!' Hij wijst over zijn schouder naar een schoffel die schuin tegen de kruiwagen staat.
Chrissy kruist demonstratief haar armen voor haar borst.
'Ben jij een psycholoog? Begrijp je niet wat ik heb verteld?'
'Ik begrijp het helemaal! Juist omdat ik een psycholoog ben!'
Haar vader en moeder gaan verder met snoeien en onkruid

wieden. Chrissy blijft gezellig op het muurtje zitten.
Annelies wil weten of ze al iets ingestudeerd hebben voor het eerste optreden.
'Een paar scènes! De gemakkelijkste!' verduidelijkt ze. 'Vanaf maandag gaan we weer verder oefenen voor het optreden.'
'Wat is het thema?'
'Verlangen! Je droom achterna gaan.'
'In dit geval is die droom het dansen.'
'Yes!' Ze vertelt over de tweede verhaallijn van het verliefde danspaar. 'Zij zijn superverliefd, maar alles draait om het dansen. Om een grote rol te krijgen, moeten ze auditie doen. Verliefd of niet, ze zullen tegen elkaar moeten strijden. Hoe dat zal gaan, weet ik nog niet precies.'
'Wie gaan die twee rollen dansen?' vraagt Annelies nieuwsgierig.
'Dat weten we niet. Maandag doen we auditie.'
'Een officiële auditie?'
'Nee, gewoon tijdens de les. Twee docenten beoordelen wie geschikt is.'
'Maak je een kans?'
Chrissy schudt nadrukkelijk haar hoofd.
'Zou je het willen?' vraagt Peter.
'Ik wel, maar ben niet goed genoeg.'
'Dat is geen instelling!' vindt hij. 'Als je iets wilt, dan ga je er voor.'
'Doe ik!' grijnst Chrissy. 'Maar ik ben realistisch. Ik sta met twee benen op de grond. Dat heb ik van mijn ouders geleerd. Die zijn beiden psycholoog!' Chrissy maakt een lange neus wanneer ze van het muurtje springt.
Peter schiet in de lach.
'Werk ze!' roept ze.

'Wat ga jij doen?!'
'Luieren.'
'Is dat goed voor jouw dansspieren?'
'Heel goed!'
'Ik ben en blijf er van overtuigd dat tuinieren een gezonde zaak is en goed is voor lichaam en geest.'
'Je hebt helemaal gelijk, pap!' giechelt ze. 'Echt! Maar elke handeling die een blessure kan veroorzaken, moet ik vermijden. Daar valt tuinieren ook onder.'
'Prachtig gesproken!' complimenteert Annelies. Ze heeft altijd plezier wanneer vader en dochter elkaar met woorden proberen af te troeven.
'Dertien jaar en dan niets mogen doen om je ouders te helpen.' Hij schudt zijn hoofd. 'Triest.'
'Ouders moeten hun kinderen altijd steunen!' roept Chrissy vanaf het terras. 'Wat er ook gebeurt. Ik ga nu op de bank liggen en verwacht binnen een kwartier een glas verse sinaasappelsap.'
'Sterallures!' Peter schudt zijn hoofd, terwijl hij een stap achteruit doet.
Als Chrissy de achterdeur achter zich dicht trekt, hoort ze buiten een harde schreeuw. Geschrokken blijft ze twee tellen op de mat staan. Haalt haar vadert een geintje uit?
Ze gaat naar de keuken en pakt een appel.
Wat is er aan de hand?
Chrissy rekt zich uit en kijkt door het keukenraam.
Pap ligt languit in het gras en mam buigt over hem heen. Ze lijkt bezorgd.
Is dit een grap of is er serieus iets gebeurd?
Aarzelend loopt ze naar buiten. 'Wat doen jullie?'
'Hij heeft een klap tegen zijn hoofd gehad?' antwoordt Annelies.

'Van wie?'
Chrissy krijgt geen antwoord.
Met behulp van Annelies gaat Peter langzaam rechtop zitten. Hij wrijft over zijn achterhoofd.
'Geen bloed?' vraagt hij.
Annelies schudt haar hoofd.
Chrissy hurkt geschrokken naast haar vader. 'Heb je je pijn gedaan?'
'Nogal,' moppert hij.
Chrissy kijkt haar moeder vragend aan. 'Hoe?'
Annelies wijst naar de schoffel. 'Vertel jij het zelf, Peter?'
Peter haalt diep adem. 'Ik stapte achteruit en was vergeten dat de schoffel tegen de kruiwagen stond. Ik zette per ongeluk mijn voet op de schoffel en toen…' Hij tilt zijn hoofd op en kijkt zijn dochter met een scheve glimlach aan. 'Toen klapte de steel keihard tegen mijn achterhoofd.'
'Ooo…' Chrissy weet niet waar ze kijken moet. 'Dat kwam hard aan.'
'Behoorlijk.'
'Je viel achterover?'
'Ja.'
'Een lichte hersenschudding?' denkt Annelies.
'Of een zware. Ik moet maar even op de bank.'
Chrissy vindt het sneu voor haar vader. Maar als ze zich voorstelt hoe het gebeurd is, schiet ze bijna in de lach.
Samen met haar vader loopt ze langzaam naar de achterdeur.
'Ik snap het helemaal,' geeft hij toe. 'Tuinieren is levensgevaarlijk.'
'Dat wist ik al, pap. Dansers moeten er nooit aan beginnen.'
'Psychologen ook niet.'
Ze lachen naar elkaar.

'Wie perst de sinaasappelen uit?' wil hij weten.
'Wie het eerst op de bank ligt, hoeft niets te doen.' Chrissy duwt hem voorzichtig opzij, stapt dan als eerste over de drempel en rent naar de bank. 'Gewonnen!' roept ze triomfantelijk.
'Ik vraag of je moeder sinaasappelen wil persen. Ik heb dringende behoefte aan rust.'

Rond het middaguur wordt Chrissy door Sara gebeld.
'Ik wilde even zeggen dat ik spijt heb van dat mailtje.'
'Welk mailtje.'
'Heb je het niet ontvangen?'
'Ik weet niet welke je bedoeld. Die ene waarin je zegt dat ik me niet met jouw zaken moet bemoeien?'
'Ja, die.' Sara zucht. 'Stom.'
Chrissy zwijgt.
'Ik had het niet moeten sturen.' Sara schraapt haar keel. 'Zou je vanmiddag nog een uurtje willen oefenen?'
Chrissy staart verrast voor zich uit.
Wil ze nu opeens oefenen?
'Waarom?'
'Te ingewikkeld om uit te leggen.'
'Ik heb geen zin in vaag gedoe.'
Sara is even in verwarring gebracht. 'Dus je wilt het niet?'
'De hele week heb je geen tijd.'
'Dat leg ik later uit. Misschien.'
'Misschien,' zegt Chrissy op verbaasde toon.
Het is stil op de lijn.
'Wel of niet?'
Chrissy rolt met haar ogen.
Wat moet ze doen?
Ze heeft best zin in dansen en Sara kan haar wat bijspijkeren

wat hiphop betreft.
'Hoe laat?'
'Je wilt het!' komt het opgelucht uit Sara's mond.
'Hangt er van af wanneer.'
'Is het goed dat ik er om kwart voor één ben?'
'Kwart voor één,' herhaalt ze.
'Te vroeg?'
'Ik moet nog eten.'
'Dat kan toch snel?'
Ze lijkt wel gek!
Waarom zou ze met Sara gaan oefenen?
Ze heeft een vervelend gevoel. Het gaat niet om het dansen. Er is een andere reden.
'Ik heb niet veel tijd. Ik moet het nu weten.'
'Wat?'
'Of ik nu kan komen?'
Nou zeg, wat een toon!
Plotseling herinnert Chrissy zich dat telefoongesprek in de kantine.
Vandaag om drie uur heeft ze een afspraak.
'Hoelang kun je blijven?' wil Chrissy weten.
'Tot twee uur.'
Misschien is het een goed idee om wel met haar af te spreken.
Chrissy vind het moeilijk.
'Ik bel je over een kwartier terug,' antwoordt Chrissy en verbreekt de verbinding.

26

De waarheid

Zenuwachtig loopt Chrissy over het perron. Nog drie minuten, dan komt de trein aan waar Sara in zit.
Na het telefoongesprek van vanmorgen werd duidelijk waarom het voor Sara belangrijk was dat de afspraak door zou gaan.
Chrissy wilde bedenktijd en belde terug om door te geven dat ze om kwart voor één welkom was. En zo gebeurde het.
Ze betwijfelde of het om het dansen ging.
Sara was wat anders van plan.
Maar wat?
'Tante Esther komt mee,' fluisterde Sara in de hoorn. 'Ze denkt dat ik met iets anders bezig ben. Dus wil ze een kennismakingsgesprek met jouw ouders en probeert zo uit te zoeken wat ik doe. Ik hoop dat jullie me niet verraden. Ik ben elke middag bij jullie geweest, toch?'
'We zien wel hoe het gaat.'
Tien voor één draaide de auto van Sara's tante de parkeerplaats op die naast het kantoor van Chrissy's moeder is aangelegd.
Sara sprong uit de auto en liep naar de achterdeur, alsof het de gewoonste zaak van de wereld was, terwijl ze niet eens zo vaak op bezoek is geweest.
Haar tante legde de reden van haar bezoek uit. 'Sara vertrekt 's ochtends al vroeg en aan het eind van de dag zien we haar pas terug. We voelen ons bezwaard, omdat ze elke middag met Chrissy mee gaat.' Ze draaide zich om en keek Chrissy vriendelijk aan. 'Je bent bij ons ook welkom hoor.'

'Dan moet ze eerst zes kilometer fietsen,' merkte Sara op. 'Die tijd gaat van het dansen af.'
Met ingehouden adem wachtte Sara af hoe de ouders van Chrissy zouden reageren.
'Voor ons is het geen enkel probleem,' verzekerde Annelies haar. 'Dansen is alles voor de meisjes! Hier kunnen ze de banken aan de kant schuiven en de woonkamer omtoveren in een kleine danszaal.'
Omdat Chrissy's ouders deze week lang hebben doorgewerkt, is het hun blijkbaar niet opgevallen dat Sara er helemaal niet is geweest. Een gelukje voor Sara, want Esther was blijkbaar gerustgesteld. Ze stelde geen vragen meer. Ze bedankte Chrissy's ouders voor de gastvrijheid en vroeg wanneer ze Sara weer op moest halen.
'Ik bel wel,' beloofde Sara.
'Anders brengen wij haar wel terug,' zei Annelies.
De meisjes gingen meteen naar boven.
'Wat is de bedoeling?'
'Dansen lukt niet,' antwoordde Sara.
'Nee?' Teleurgesteld staarde Chrissy haar aan. 'Waarom kom je dan?'
Sara ging zwijgend op de rand van haar bed zitten.
'Vertel nou waar je mee bezig bent!'
'Dan lach je mij uit.'
'Uitlachen?' vroeg ze verbaasd. 'Waar zie je mij voor aan.'
Na een korte stilte besloot Sara te vertellen wat er gebeurd was. 'Maandag zat ik in de kantine van school. Er lag een krant op tafel. Iemand had met een rode pen een advertentie omcirkeld. Toen ik het las, werd ik helemaal enthousiast.' Sara tilde verlegen haar gezicht op en glimlachte. 'Het conservatorium in Deemhuizen is bezig met een bijzonder project. Dat doen ze samen met een professioneel musical

gezelschap. Eén van de dansers uitgevallen en met spoed zoeken ze een nieuwe danser die ook kan zingen.'
'Ik snap het,' onderbreekt Chrissy zacht. 'Jij schreef een brief en bent uitgenodigd.'
'Vanmiddag, om drie uur.'
'Waarom doe je er geheimzinnig over?'
'Ik wil niet dat anderen het weten.'
'Bang dat zij het dan ook gaan proberen?'
'Hoe meer er op de advertentie reageren, hoe kleiner mijn kans. Heel egoïstisch,' voegde ze er beschaamd aan toe.'
'Maak je een kans?'
'De leeftijdsgrens is zestien.'
'Drie jaar te jong.'
'Mmm.'
'Heb je dat gemeld?'
'Ja.'
'Kun je zingen?'
'Een beetje.'
'Aah!' Chrissy begreep waarom ze elke middag zangcoach Franciska Foolderman bezocht. 'Je kreeg van haar zangles!'
'Ja! Ik heb haar uitgelegd dat ik een droom heb. Dat ik graag verder wil met dansen. Ze wilde mij helpen, al was de kans klein zijn dat ik uitgenodigd zou worden. Elke middag kreeg ik een uur les. Ze vond het geweldig dat ik er alles voor over had om die rol te krijgen. Toen ik haar de eerste keer zag, schrok ik. Ze lijkt op mijn moeder, ook al was ze ouder. Heel vreemd.'
'Duur hoor, privé zangles.'
'Ik hoef niets te betalen. Franciska leeft met me mee en is net zo zenuwachtig als ik. We hadden niet gedacht dat ik auditie mocht doen.'

'Waarom heb je je oom en tante niets verteld?'
'Ze lachen me uit. Een meisje van dertien dat reageert op zo'n advertentie.'
'Waarom mocht ik niets weten?'
'Om dezelfde reden. Wie gelooft dat dromen uit kunnen komen, wordt uitgelachen.'
'Is dat het enige?'
'Ik wilde liever niet dat jullie zouden reageren.'
'Er zijn veel mensen die de krant lezen.'
'Het was een kromme gedachte,' gaf Sara toe.
'Als je de rol krijgt, kan dat dan wel met school?'
Sara schoot in de lach. 'Het is gewoon heel spannend om te doen. Het geeft een kick! Ik kan me niet voorstellen dat ik echt in die musical mee mag spelen.'
'Als het wel lukt?'
'Er wordt op avonden en in het weekend geoefend. Ook omdat er studenten van het conservatorium aan meewerken.'
'Klinkt gaaf.'
'Ja.' Sara giechelde. 'Toch heb ik gevoel dat iedereen me voor gek verklaart dat ik zoiets probeer.'
'Ik niet,' Chrissy schudde nadrukkelijk haar hoofd heen en weer. 'Heb je een opdracht gekregen voor de auditie of hoor je straks wat je moet doen?'
'Ik moest een korte dans van anderhalve minuut in elkaar zetten.'
'Gelukt?'
Sara knikte en liet een paar bewegingen zien. Het luchtte enorm op, nu ze Chrissy deelgenoot van haar geheim had gemaakt.
Om kwart over twee stapte Sara in de trein naar Deemhuizen.

Chrissy had haar op de fiets gebracht.
'Bel je als je meer weet?'
Sara haalde haar schouders op. 'Volgens mij krijgen we de uitslag vandaag niet.'
'Hoeveel mensen komen er?'
'Zes.'
'Best veel.'
Sara zei dat ze met de trein van kwart voor vijf terug zou komen.
'Ik zal er zijn!' beloofde Chrissy.
'Duim je?'
'Ik ben al begonnen!' liet Chrissy zien. 'Veel succes! Je kan het!'

En nu staat Chrissy te wachten tot Sara weer terug komt. Het is drukker geworden op het station.
Van Sara is nog steeds geen bericht gekomen. Als ze meer weet, zal ze vast bellen. Of een sms'je sturen.
Ze is blij dat Sara het haar verteld heeft, want ze vond het niet leuk dat Sara haar niet vertrouwde. Toch kan ze het wel begrijpen, ze is zelf ook wel eens bang om uitgelachen te worden. Wel stoer dat ze er voor gaat! En gelukkig kunnen ze nu samen weer praten.
Wat ze heeft meegemaakt met Marjolein, wil ze nooit meer mee te maken.
In de verte zijn de lichten van de trein te zien.
Chrissy zoekt een rustig plekje bij de uitgang.
Als de trein gestopt is, springt Sara er als eerste uit.
Zoekend kijkt ze over het perron.
Chrissy steekt haar arm op. 'Joehoe!'
Sara komt meteen naar haar toe. Ze steekt haar duim oog. 'Het ging goed.'

Chrissy lacht. ‘Wanneer krijg je de uitslag?’
‘Vandaag.’
‘Ik moet dus nog even blijven duimen.’
‘Doe maar. Ze stelden vragen over de nieuwe dansopleiding. Ik was de enige van de academie.’
Druk pratend lopen ze naar de fiets.
‘Nog iets van Stefan gehoord?’ vraagt Sara opeens.
‘Niet echt.’
‘Je durft er niet echt voor te gaan?’
‘Niet echt nee.’
‘Waarom niet?’
‘Ik weet niet of hij mij leuk vindt.’
‘Zoals hij naar je kijkt...’
‘Ik weet niet wat ik er van moet vinden.’
‘Waarvan?’
‘Dat gedoe.’
Sara lacht. ‘Moet ik vragen of hij verliefd op je is?’
‘Nee!’
‘Durf eens wat te proberen,’ voegt Sara er grijnzend aan toe. ‘Net als ik. Niet bang zijn. Gewoon een gokje wagen. Nee heb je, ja kun je krijgen.’
‘Maandag…,’ begint Chrissy en trekt haar fiets uit het rek.
‘Wat, maandag?’
‘Dan weten we wie de rol zal krijgen?’
Sara schokt met haar schouders. Leine en Lars beslissen.
‘Stefan maakt een grote kans.’
‘Of Rachid.’
‘En jij.’
‘Of Elmy,’ grijnst Sara.
Ze fietsen bij het station weg.
Als Sara’s telefoon over gaat, trapt Chrissy meteen op de rem.

Sara kijkt naar het schermpje.
'De uitslag?' Chrissy blikt vragend over haar schouder.
'Ja,' fluistert ze met trillende stem.'
'Het uur van de waarheid.'
Sara noemt haar naam en luistert gespannen.
Haar gezicht betrekt wanneer ze aandachtig luistert naar de stem aan de andere kant van de lijn.
'Jammer,' antwoordt Sara met hese stem. 'Volgende keer beter.'
Ze verbreekt de verbinding en staart met tranen in haar ogen naar de lucht.
'Te jong,' fluistert Sara.
'Is dat het enige waarom je bent afgewezen?'
'Ze vonden dat ik te weinig podiumervaring had.'
'Gewoon verder gaan,' probeert Chrissy opbeurend. 'Je begint nog maar net.'

27

Hard werken

Maandagochtend zit Chrissy zwijgend naast Sara op de bank in de kleedkamer.
'Ik heb een rot weekend gehad,' moppert Sara. 'Ik had gehoopt dat het met die auditie zou lukken.'
Dansen betekent alles voor Sara! Ze wil zich graag verder ontwikkelen. Hoe kan ze meer danservaring opdoen als ze afgewezen wordt omdat ze te jong is? Geduld heeft ze eigenlijk niet. Ze wil nu! Niet straks.
Toen ze uitgenodigd werd voor een auditie, hoopte ze dat aangenomen zou worden. Iedereen verbaast zich immers over haar talent.
'Je bent heel goed,' zegt Chrissy. 'Maar je weet dat je nog aan dingen moet werken.'
'Mijn techniek,' mompelt ze. 'Ach, ik ben helemaal niet geschikt voor een musical.'
'Misschien wel. Alleen nu nog niet.'
Sara keek haar glimlachend aan. 'Ik ben blij dat niemand weet dat ik auditie heb gedaan. Ik zou me belachelijk hebben gemaakt.'
'Dat valt volgens mij mee.'
In de kleedkamer is de opwinding voelbaar. De verdeling van de rollen houdt iedereen bezig.
Chrissy geeft zichzelf een hele kleine kans.
Ze hoopt dat Stefan het niet wordt. Het lijkt haar vreselijk om hem in de rol van een verliefd persoon met een ander meisje te zien dansen.
Sara stoot Chrissy aan. 'Wat denk je?'
Chrissy glimlacht verlegen.

'Stefan?'
'Yep.'
'Wat als hij de rol krijgt?'
Chrissy haalt haar schouders op.
'Maakt het jou niks uit?'
'Ik heb niks met hem.'
'Doe niet zo achterlijk. Je bent verliefd. Hij ook.'
'Ik zie wel hoe het loopt.'
'Stom.'
'Ben jij wel eens verliefd?'
'Vaak genoeg.'
'Vind je het leuk?'
Sara giechelt. 'In het begin wel.'
'Later niet?'
'Nee. Allerlei misverstanden en zo. Als je écht verliefd bent, hou je het niet tegen.'
'Dan ben ik écht verliefd,' constateert ze fluisterend. Niemand heeft gehoord wat ze zei.
De meisjes staan op. Ze vullen de flesjes met water en gaan naar de danszaal.
'Het zou super zijn,' mompelt Sara, 'als jij en Stefan het verliefde danspaar worden.'
'Met knikkende knieën,' giechelt Chrissy, 'en bonkend hart.'
'Hij slaat zijn armen om je heen en houd je stevig vast.'
'Mm, een mooie droom,' zwijmelt Chrissy. 'Maar het is nog maar de vraag of hij uitgekozen wordt.'
'Leine komt een half uurtje later,' vertelt Lars. 'In die tussentijd beginnen we met de warming up en het aanleren van pasjes en sprongen die wij voor de hoofdrollen hebben bedacht.'
'Waar letten jullie op?' vraagt Elmy.

'Op alles. Je uitstraling, je techniek, je timing, hoe het met je partner klikt, enzovoort.'
'Welke stijl moet het verliefde paar dansen?' wil Coen weten.
'Een mengeling van klassiek ballet en hiphop.'
'Gaaf,' antwoordt Coen. Hij heeft vooral klassieke dansles gehad.
Na de warming up stapt Leine de zaal binnen. Zij geeft de jonge dansers instructies.
Iedereen reageert enthousiast wanneer ze in grote lijnen weten hoe de dans opgebouwd is.
'Ik durf te wedden dat iedereen deze dans graag wil doen,' lacht Leine. 'We hebben ook een hele mooie choreografie bedacht voor de dansers rondom het verliefde danspaar!'
Na anderhalf uur hard werken, roept Lars klas 1D bij elkaar. Ze gaan in een halve kring op de grond zitten, vlakbij de spiegelwand.
Lars wacht tot het stil is. 'Jullie weten nu hoe het verlangen van de verliefde dansers uitgebeeld moet worden. Het is niet zo makkelijk en de hoofdrolspelers moeten het wel aan kunnen. Dertien hoofden bewegen op en neer.
'Het is belangrijk dat de twee dansers geen fouten maken. Zij vormen zeker vijf minuten lang het middelpunt van de voorstelling. Leine en ik willen deze choreografie in de voorstelling houden. Blijkt het niet haalbaar, dan kunnen we het aanpassen.'
'We stellen hoge eisen,' voegt Leine er aan toe. 'Dat doen we omdat de pers aandacht zal schenken aan de voorstelling van de talentenklas. We hopen dat jullie als jong talent van onze academie een goede performance neer kunnen zetten. Dat zou een geweldige reclame voor Dans Academie Roosburch zijn. Maar wij denken dat jullie het zeker kunnen!'

'De druk die op onze schouders rust is zwaar,' roept Elmy klagerig door de zaal.
Iedereen lacht.
Leine kijkt haar leerlingen aan. 'Zijn er nog vragen?'
Niemand reageert.
'Jullie weten wat er verwacht wordt van de twee dansers die de hoofdrol vertolken. Iedereen kan voor zichzelf bepalen of hij of zij kan voldoen aan het niveau dat wij willen. De lat ligt hoog. Wie wil, kan er voor gaan. We houden vijf minuten pauze. Daarna gaan we beginnen.' Lars kijkt naar de klok. 'De tijd dringt.'
Chrissy kijkt naar haar klasgenoten.
Zou er iedereen er voor gaan?
Denise en Vera fluisteren. Anne en Nynke lopen samen naar het toilet.
'Wat doe jij?' Stefan hurkt naast Chrissy.
'Ik?!' Ze staart hem met gespeelde verontwaardiging aan. 'Vind je mij niet goed genoeg?'
'Ik wel!'
'Ik denk van niet. Anders zou je de vraag niet stellen.'
Hij lacht.
'Doe jij auditie?'
'Alleen als jij het ook doet.'
Heel eventjes weten beiden niets te zeggen.
Die momenten voelen wonderlijk vreemd.
'Ik wil graag...'
'Wat?' Chrissy houdt haar adem in.
'Dat onze voorstelling een succes wordt,' mompelt hij.
'Ik ook.'
Ze weet zeker dat hij iets anders had willen zeggen.
Als de audities beginnen, blijkt iedereen mee te doen.
'Had ik niet gedacht,' fluistert Sara. 'Het is een wedstrijd

tegen elkaar.'
'Dat zal later nog wel vaker gebeuren.'
Eerst worden de meisjes beoordeeld.
'Is er iemand die als eerste wil?' vraagt Leine.
Chrissy staat op.
Wat maakt het uit? Ze wordt toch niet gekozen.
Chrissy zoekt haar positie in de zaal en wacht totdat Lars de cd speler start. Ze maakt meteen een fout. Na een moeizame start lukt een moeilijke sprong onverwachts goed. En, een minuut later voelt het alsof ze vleugels heeft gekregen. Waarom zou ze niet uitgekozen worden?!
Ze krijgt een applaus.
Lars en Leine overleggen zacht met elkaar.
Dan is het Elmy's beurt. Ze danst de sterren van de hemel. Even gaat er een steek van jaloezie door Chrissy heen. Haar soepelheid en techniek zijn goed. Elmy heeft meer ervaring met hiphop dan zij.
Hoewel iedereen het moeilijk vindt om 'tegen elkaar' te dansen, is de prestatie van iedereen verbazend goed. Chrissy baalt van haar slechte start.
Hoe zullen Leine en Lars dat beoordelen?
Als alle meisjes van 1D zijn geweest, zondert het tweetal zich af.
In de zaal is het stil.
'We wisten dat het moeilijk zou worden om tot een keuze te komen,' begint Lars. 'Ik wil dat jullie goed begrijpen dat wij niet voor de beste kandidaat kiezen, maar voor diegene die het meest geschikt is voor de rol. Straks kiezen we één van onze jongens uit. Dan is het de vraag of de partners bij elkaar passen. Dat weet je nooit zeker. We gaan voor een goed eindresultaat van de hele groep. Niet voor een individuele prestatie.'

'Onze voorlopige voorkeur gaat uit naar Elmy.'
'Yes!' Elmy springt op.
Sara bijt op haar onderlip. Ook dit gaat aan haar neus voorbij.
'Jouw tijd komt wel,' zegt Chrissy opbeurend.
Sara zit zich te verbijten.
'Niet kniezen hoor. We maken met elkaar een mooie voorstelling.'
Stefan loopt aarzelend naar Lars. Ze voeren een kort gesprek.
'Hij doet vast een goed woordje voor jou,' oppert Sara.
'Was het maar waar.'
Lars kijkt even in Chrissy's richting.
Of verbeeldt ze zich dat?
Stefan gaat terug naar zijn plek.
Lars en Leine voeren een kort overleg. Dan staat Lars op.
'Stefan valt af,' deelt hij mee. 'We zullen tussen Rachid en Coen moeten kiezen.'
Iedereen staart Stefan verbaasd aan.
Hij haalt zijn schouders op en doet heel luchtig.
'Waarom haak jij af?' wil Sara weten.
'Het thema van die dans past niet bij mij.'
Niemand begrijpt iets van zijn beslissing.
Wanneer hij merkt dat Chrissy naar hem kijkt, draait hij zijn hoofd opzettelijk de andere kant op.
'Dit is niet zomaar,' fluistert Sara.
'Niet?'
'Hij wil niet het risico lopen dat hij met Elmy moet dansen.'
'Kom op, zeg!'
'Hij is iets van plan,' verzekert Sara haar.
Chrissy staart in gedachten naar buiten.
Zou Sara gelijk hebben?

28

Dans met mij!

Als de kinderen van groep 1D horen dat de keuze op Elmy en Rachid gevallen is, reageren ze enthousiast.
Elmy en Rachid zullen tijdens de voorstelling niet alleen hun liefde voor het dansen en naar elkaar moeten uitbeelden, maar ook de onderlinge strijd voor een prachtige dansrol.
Hoewel iedereen stiekem hoopte uitgekozen te worden, laat niemand ook maar iets van teleurstelling merken.
Lars benadrukt nogmaals dat ze samen als groep de voorstelling maken!
'Het is belangrijk dat de juiste dansers op de juiste plaats de juiste dingen doen.'
Dat begrijpt iedereen.
Sara weet dat ze met teleurstellingen moet leren omgaan. De afgelopen tijd heeft ze heel wat voor haar kiezen gehad. Nog meer tegenslagen kan ze misschien niet aan. Ze prent zich in dat het goed is om haar best te doen voor de groep, in plaats voor zichzelf.
'In twee weken een dans op een redelijk hoog niveau instuderen is niet niks!' heeft Lars meerdere keren gezegd. 'Jullie zullen in je vrije tijd naar de oefenzaal moeten.'
Groep 1D, de talentenklas van de Dans Academie Roosburch, heeft zin in de voorstelling.
Ze zullen laten zien wat ze kunnen!
'Stop je met zangles?' wil Chrissy weten.
'Voorlopig wel. Maar ik heb met Franciska afgesproken dat we contact houden.'
Aan het eind van de schooldag fietsen Chrissy en Sara

door het centrum.
'Ik blijf het raar vinden dat Stefan geen auditie wilde doen. Hij maakte een grote kans om uitgekozen te worden. Dat weet iedereen. Zoiets laat je niet schieten. Zou het met jou te maken hebben?'
Chrissy schiet in de lach. 'Met mij?'
'Lach niet.'
'Het slaat nergens op.'
'Toen duidelijk was dat Elmy de rol kreeg, haakte hij af.'
'Dat was toeval.'
Sara schudt bedachtzaam haar hoofd. 'Hij heeft iets met Lars besproken. Ze keken in jouw richting.'
'Toeval.'
'Heb je het gezien?'
'Ja,' geeft Chrissy toe.
'Geen toeval, dus! Ze hadden het over jou. Waarom vraag je het niet aan hem.'
'No way.'
'Durf je niet?'
'Nee.'
Sara klemt haar kaken op elkaar. 'Ik weet zeker dat hij op je is.'
Chrissy trekt een schaapachtig gezicht.
'Er gaat iets gebeuren,' fluistert Sara geheimzinnigs.
'Iets leuks?'
Er glijdt een brede glimlach over Sara's gezicht. 'Zeker weten!'
Vanaf dat moment voelt Chrissy een vage onrust in haar lijf.
Sara maakte geen grapje, ze heeft echt een voorgevoel dat er wat leuks zal gebeuren.
Wanneer Chrissy thuis is, controleert ze haar mailbox.

Er is geen bericht van Stefan. Zelf durft ze hem niet te schrijven. Ze wil niet dat hij denkt dat ze een oogje op hem heeft.

Dinsdagochtend staat ze als eerste in de oefenzaal. Tenminste, dat denkt ze. Op de achtergrond hoort ze mensen op gedempte toon met elkaar praten.
Lars en Leine?
Ze loopt naar de barre en begint met een warming up. Wanneer ze in de spiegel kijkt, ziet ze Stefan en Lars in de deuropening verschijnen. Ze kijken naar haar.
'Een beter moment dan dit, krijg je niet,' hoort ze Lars zeggen.
Stefan loopt recht op haar af.
Chrissy met haar oefening doorgaat alsof er niets aan de hand is. Haar hart bonkt bijna haar lijf uit.
'Hallo,' groet Stefan.
Ze groet terug
Stefan schraapt zijn keel. 'Van Lars weet ik dat er nog een danspaar op de achtergrond meedanst.'
'O,' mompelt Chrissy.
'Dat wist ik gisteren al.' Hij doet een stapt naar voren en legt zijn hand op de barre. 'Toen heb ik Lars een voorstel gedaan en deed dus geen auditie.'
Chrissy's hart slaat wel duizend slagen over wanneer ze hem aankijkt met grote verbaasde ogen. 'Ik begrijp je niet.'
'Lars en Leine vinden het goed.'
'Wat?'
'Dat wij, jij en ik...' Hij perst zijn lippen verlegen op elkaar.
Chrissy glimlacht, maar heeft nog steeds geen idee wat hij bedoelt.

'Ik dacht… Dans met mij.'
Dit is niet echt.
Dit is een droom!

Dans met mij.

Zei hij dat hardop?
Ze weet het niet.
'Doe je het?' vraagt hij onzeker.
'Met jou dansen?'
Hij knikt.
Vrolijke vlinders vliegen met een duizelingwekkende vaart rond in haar buik.
'Natuurlijk.'

29

Het optreden!

Met veel plezier oefent groep 1D dag in dag uit. Het is zwaar, maar een gezonde spanning houdt hen op de been. Ze willen zich als groep goed presenteren. En, dat gaat lukken!

Lars en Leine zien hoe de leerlingen naar elkaar toegroeien en een prachtig team vormen.

Een paar dagen voor de voorstelling komen journalisten van verschillende kranten met een eigen fotograaf. Tijdens het poseren, liggen ze soms dubbel van het lachen.

Stefan staat steeds dichtbij haar.

Er komt zelfs een cameraploeg van de regionale televisie.

Er is veel aandacht van de media en dat was de bedoeling ook.

Sara zegt dat ze bijbaantje naast haar dansopleiding heeft.

'Een krantenwijk?' Chrissy spert haar ogen wijd open. 'Door weer en wind op de fiets?'

'Nee, ik word geen krantenbezorger maar ga als helderziende werken! Voor vijf euro werp ik voor iedereen die het wil een blik in de toekomst. Voor jou doe ik de voorspellingen gratis,' grinnikte Sara. 'Stefan gaat jou iets vragen. Maar ik weet niet wat.'

'Wat heb ik daar nou aan?'

'Geduld... Je zult veel geduld moeten hebben.'

Tijdens het dansen, gebeurt er tussen Chrissy en Stefan best veel. Wanneer ze elkaar aanraken of met een 'blik van verlangen' naar elkaar moeten kijken, voelt dat voor beiden spannend. Van iedere aanraking zijn ze zich bewust.

Lars complimenteert het tweetal regelmatig omdat ze

'natuurlijk' dansen. 'Jullie zitten in het verhaal en de muziek. Het gaat om een diepe emotie en die stralen jullie uit.'
Het gekke is, dat ze elkaar na het dansen niet goed aan durven te kijken.
Voor Chrissy zijn deze dagen met geen pen te beschrijven. Ze geniet volop! Vooral wanneer ze samen Pirouettes dansen. Dan legt Stefan zijn arm om haar middel. Ze wordt er op een leuke manier zenuwachtig van.
Op de dag van de voorstelling wordt Chrissy door haar vader met de auto naar de dansacademie gebracht. Dan kan ze vanavond na afloop met haar ouders terugrijden.
Om twee uur 's middags begint de generale repetitie. Daarna eten ze met elkaar in de kantine en kan het aftellen beginnen.
Het is overweldigend wanneer Chrissy de grote danszaal binnenstapt. Mensen van geluid en licht zijn druk bezig. Tijdens de generale repetitie zal er goed samengewerkt moeten worden. Dansers worden soms door één spot gevolgd, terwijl de andere dansers in het donker verdwijnen. De belichting moet ook heel precies. Lars en Leine hebben de choreografie met de mannen die het licht doen besproken. Het blijft moeilijk om alles goed op elkaar af te stemmen. De wijze waarop er met licht gewerkt word, maakt het optreden speciaal.
Chrissy is zenuwachtig. Nu het eindelijk zo ver is, voelt het alsof ze droomt.
Beneden in de oefenzaal hebben ze een warming up gedaan. Daar gaan ze op het podium mee verder.
Er zijn allerlei mensen bezig met de voorbereidingen.
'Het gaat om ons,' zegt Sara met een gelukzalige glimlach rond haar mond. 'Wij zijn de dansers!'

'Knijp eens in mijn arm,' fluistert Chrissy. 'Is dit allemaal echt?'
Chrissy rent gillend van het podium af als Sara haar achterna komt om echt te knijpen.
'Jongens en meisjes! Eerst gaat een ieder voor zichzelf sprongen en passen oefenen. Over tien minuten beginnen we met de generale repetitie. Iedereen zoekt nu een plek op het podium. Leine en ik lopen tussen jullie door en zullen aanwijzingen geven als dat nodig is!' roept Lars luid om boven het geroezemoes uit te komen.
Met een kritische blik stelt Leine zich aan de rechterkant van het podium op en kijkt naar Rachid die een prachtige sprong maakt en daarbij één been gestrekt naar achteren houdt.
'Jouw houding is tijdens die zweefstand niet goed!' roept ze. 'Je maakt geen goede Demi-Plié bij het neerkomen. Dat moet je zelf gemerkt hebben. Bij de landing werd de knie niet over de voet geplaatst. In de sprong verlies je spierspanning. Daardoor kom je te zwaar neer.'
Rachid doet de sprong drie keer over. De laatste keer is goed.
Elmy heeft problemen met de Pas de Chat; een wisselsprong met gebogen knieën. Ze komt niet goed uit met de muziek.
Coen wordt door Lars naar de zijkant geroepen. 'Die kick moet krachtiger! Kijk naar mij!' Lars maakt een felle schopbeweging met een gestrekte voet. 'Neem energie mee in die beweging. Hij moet krachtig. Doe alsof je kwaad bent en de vijand schopt.'
Coen, die nooit eerder van Kick-Ball-Change had gehoord, weet nu hoe dat gaat. Je kickt met je voet, komt neer op de bal van de voet die je gekickt hebt en verandert van been

door het andere been óf in de lucht óf opzij te tikken.
Denise moet de Bodyroll overdoen. 'De souplesse lijkt te zijn verdwenen,' merkt Leine op.
'Ik moet er nog teveel bij nadenken,' knikt ze.
'Dans vanuit je lijf. Niet uit het hoofd.'
Denise probeert zich te ontspannen voordat ze de golvende beweging met haar lichaam maakt. De bewegingsinzet begint bij het bovenlichaam, waarna de heupen en benen de beweging overnemen. Het is een lastige beweging, wanneer je hem niet op het goede moment inzet.
Terwijl Leine meer de bewegingen van ballet en jazz beoordeelt, richt Lars zich op moderne dans en hiphop. Hij brult korte aanwijzingen over het podium. Gooi weg dat been! Veeg! Slide! Kicken! Nu de Snake! En, spring!'
'Na een korte pauze begint de generale repetitie.
Na afloop is iedereen teleurgesteld omdat niemand het gevoel heeft dat het goed is gegaan.
'Echt bagger,' zucht Sara.
Leine spreekt de groep toe en vertelt dat ze er niet over in moeten zitten. 'Generale repetities verlopen nooit foutloos. Vaak ben je niet op de juiste manier geconcentreerd. Je weet dat dit niet de echte voorstelling is, dus kun je je veroorloven een fout te maken. Dat gebeurt dan ook. Ik weet zeker dat jullie straks honderd procent concentratie op kunnen brengen. Alles gaat goed komen.'
Groep 1D verdwijnt stilletjes van het podium.

Dan is dé avond van de voorstelling aangebroken.
'Hoe zit het nou met Stefan?' fluistert Sara wanneer ze een uur voor het optreden naast elkaar voor de spiegel staan om hun lange haar op te steken.
'Gewoon.'

'Vertelt hij niets over zijn speciale gevoelens voor jou?'
'Als hij die niet heeft, valt er niets te vertellen.'
'Die heeft hij wel.' Sara schudt haar hoofd en praat via de spiegel met Chrissy verder. 'Ik heb een voorgevoel. Hij gaat jou iets vragen of vertellen.'
Chrissy perst haar lippen op elkaar. Daar wil ze nu niet aan denken.
Eerst optreden!
Studenten van de academie helpen met de laatste voorbereidingen.
Chrissy en Elmy dragen een witte zijden jurk, die prachtig meebeweegt tijdens het draaien en springen. De jongens gaan in baggy-stijl het podium op en de rest draagt wijde blouses over een strakke legging. Coen en Rachid hebben een band om het hoofd vanwege hun lange haar. De meeste meisjes hebben hun haar opgestoken.
De zaal stroomt vol.
In de kleedkamer wordt het steeds stiller.
Het is voor iedereen een bijzonder moment om straks voor het eerst te mogen dansen in de prachtige danszaal voor een groot publiek.
'Hoe gaat het?' vraagt Stefan zacht.
'Slecht,' antwoordt ze met een grijns. 'Mijn knieën trillen.'
'Dat gaat over als we dansen,' probeert hij geruststellend.
'Ik hoop dat je gelijk hebt.'
'Zeker weten.' Hij haalt diep adem. 'Ik ben blij dat ik geen auditie heb gedaan.'
Chrissy staart naar de grond.
'Dansen met jou bevalt goed.'
'Mij ook.' Ze lacht naar hem.
'Vaker doen!' vindt hij.
Ze knikt.

Hij zwijgt.
Samen met Lars en Leine lopen ze in de richting van het podium. Ze gluren tussen de coulissen door naar de mensen in de zaal.
Het geroezemoes verstomd als het licht uit gaat in de overvolle zaal.
Directeur van Oorschot loopt in een brede lichtbaan die hem over het podium volgt naar de microfoon.
Hij heet iedereen van harte welkom. Zijn toespraak is leuk en duurt niet lang.
Daarna krijgt de burgemeester het woord en wordt de talentenklas voorgesteld aan het publiek.
Wanneer het applaus klinkt, voelen de kinderen van 1D adrenaline door zich heen gaan.
Iedereen zoekt zijn positie op het podium en wacht totdat de muziek begint te spelen.
Minuten later danst 1D voor het publiek alsof het de gewoonste zaak van de wereld is.
Het gaat geweldig. Moeilijke danscombinaties of een solo van één van de dansers wordt beloond met een applaus.
Kleine foutjes worden door het publiek niet opgemerkt.
De mannen van de belichting doen hun werk perfect.
Leine en Lars zijn gespannen, maar naar een paar minuten kriebelt kippenvel over hun armen.
'Ze doen het fenomenaal,' vindt Lars.
'Het is on-geloof-lijk,' fluistert Leine ontroerd.
Voortdurend wordt er geflitst door talloze fotografen.
Chrissy voelt zich heerlijk. Wanneer ze met Stefan danst, krijgt ze vleugels.
Hij ook.
Dan, opeens stopt de muziek.
De voorstelling is afgelopen, het publiek staat op.

1D krijgt een staande ovatie.
Het is hartverwarmend.
Er wordt het hardst geklapt door de ouders van Chrissy, haar broer en Sara's oom en tante.
Ze slaan de armen om elkaars middel en buigen.
En buigen opnieuw. Het publiek blijft doorklappen.
Lars en Leine worden op het toneel gevraagd. Alle leerlingen van de dansklas krijgen van hen een hand.
Er worden bloemen aan de jonge dansers uitgedeeld. Maar ook aan de docenten en de mensen van het licht en geluid.
Opeens wordt Chrissy's aandacht getrokken naar een meisje dat langs de zijkant van de zaal naar voren loopt.
Het is Marjolein.
Chrissy gaat bij de trap staan en zwaait.
'Wat een gave voorstelling!'
'Wat leuk dat je bent gekomen.'
'Ik had niet gedacht dat het zo goed zou zijn.' Marjolein is er vol van. 'Er stonden mooie artikelen en foto's in de kranten. Ik wilde het graag zien. Die jongen...?'
'Stefan.'
'Hij is leuk. Hoe heb je dat voor elkaar gekregen dat je met hem mocht dansen?'
'Heel gewoon. Hij kwam naar me toe.'
'En, toen?'
'Hij zei: dans met mij!'

Verschenen titels
4-Ever Dance

Nooit opgeven!

Dans met mij!

Over de auteur

Opgegroeid in een stimulerend gezin, ervoer Henriëtte Kan Hemmink al op haar zesde de zeldzame sensatie van wat een pakkend boek met je doet. Na werk in de journalistiek kwam het moeder worden en opvoeden van vier dochters. Maar schrijven is als ademhalen: ze kan niet zonder. Met haar kinderen als onuitputtelijk bron van karakters en ervaringen, ontstond een indrukwekkende reeks van kinderboeken. Geen onderwerp blijft onbesproken. Enkele voorbeelden hiervan zijn onbegrip, afreageren, dierproeven, jaloezie, verliefd zijn, een handicap hebben, de dood, helderziend zijn, en eenzaamheid. Maar altijd is er een fantasievol, spannend en herkenbaar plot, waardoor ook moeilijke onderwerpen licht en toegankelijk worden.

Foto: Herbert Boland

En dat is ook wat Henriëtte voor ogen heeft: Wegdromen in een avontuur en daarbij toch iets hebben om over na te denken.

4Ever Dance

De serie 4Ever Dance is een prachtige gloednieuwe reeks waarin Henriëtte haar jonge lezers meeneemt in een wereld van talent en roem, maar ook afgunst en teleurstelling. Van bevlogenheid en sterk zijn, maar ook van durven stilstaan bij wat je echt belangrijk vindt en wat je echt voelt. En dat alles in de wervelende wereld van dans en muziek, waarin iedereen een idool kan worden. Of er in ieder geval van mag dromen!